U0741613

读经典 学养生

HUANG DI NEI JING

黄帝内经

战国 佚名 著

主编 禄颖 陈子杰

中国医药科技出版社

内容提要

《黄帝内经》是我国最早的医学典籍，集中反映了我国古代的医学成就，奠定了中医学发展的基础。全书分《素问》和《灵枢》两部分，以黄帝和岐伯等人对话的形式写成，主要介绍了中医学理论的基本内容和理论原则，以及四时环境、饮食起居、运动锻炼、精神情志、劳逸房事等养生大法。本书节选了最能反映中医学术思想特点的篇章和段落加以注释，内容丰富，适合中医药养生爱好者参考阅读。

图书在版编目（CIP）数据

黄帝内经 /（战国）佚名著；禄颖，陈子杰主编. — 北京：中国医药科技出版社, 2017.7

（读经典 学养生）

ISBN 978-7-5067-9185-4

Ⅰ. ①黄… Ⅱ. ①佚… ②禄… ③陈… Ⅲ. ①《内经》 Ⅳ. ①R221

中国版本图书馆CIP数据核字(2017)第060406号

黄帝内经

美术编辑 陈君杞
版式设计 大隐设计

出版 中国医药科技出版社
地址 北京市海淀区文慧园北路甲 22 号
邮编 100082
电话 发行：010-62227427 邮购：010-62236938
网址 www.cmstp.com
规格 787×1092mm $^{1}/_{32}$
印张 5 $^{7}/_{8}$
字数 76 千字
版次 2017 年 7 月第 1 版
印次 2017 年 7 月第 1 次印刷
印刷 北京九天众诚印刷有限公司
经销 全国各地新华书店
书号 ISBN 978-7-5067-9185-4
定价 16.00 元

本书编委会

主　编

禄　颖　陈子杰

副主编

张小勇　刘丹彤　吴宇峰

出版者的话

中医养生学有着悠久的历史和丰富的内涵，是中华优秀文化的重要组成部分。随着人们物质文化生活水平的不断提高，广大民众越来越重视健康，越来越希望从中医养生文化中汲取对现实有帮助的营养。但中医学知识浩如烟海、博大精深，普通民众不知从何入手。为推广普及中医养生文化，系统挖掘整理中医养生典籍，我社精心策划了这套“读经典 学养生”丛书，从浩瀚的中医古籍中撷取20种有代表性、有影响、有价值的精品，希望能满足广大读者对养生、保健、益寿方面知识的需求和渴望。

为保证丛书质量，本次整理突出了以下特点：①力求原文准确，每种古籍均遴选精善底本，加以严谨校勘，为读者提供准确的原文；②每本书都撰写编写说明，介绍原著作者情况，该书主要内容、阅读价值及其版本情况；③正文按段落注释疑难字词、中医术语和各种文化常识，便于现代读者阅读理解；④每本书都配有精美插图，让读者在愉悦的审美体验中品读中医养生文化。

需要提醒广大读者的是，对古代养生著作中的内容我们也要有去粗取精、去伪存真的辩证认识。“读经典 学养生”丛书涉及大量的调养方剂和食疗方，其主要体现的是作者在当时历史条件下的养生方法，而中医讲究辨证论治、因人而异，因此，读者切不可盲目照搬，一定要咨询医生针对个体情况进行调养。

中医养生文化博大精深，中国医药科技出版社作为中央级专业出版社，愿以丰富的出版资源为普及中医药文化、提高民众健康素养尽一份社会责任，在此过程中，我们也期待读者诸君的帮助和指点。

中国医药科技出版社

2017 年 3 月

总序

养生（又称摄生、道生）一词最早见于《庄子》内篇。所谓生，就是生命、生存、生长之意；所谓养，即保养、调养、培养、补养、护养之意。养生就是根据生命发展的规律，通过养精神、调饮食、练形体、慎房事、适寒温等方法颐养身心、增强体质、预防疾病、保养身体，以达到延年益寿的目的。纵观历史，有很多养生经典著作及专论对于今天学习并普及中医养生知识，提升人民生活质量有着重要作用，值得进一步推广。

中医养生，源远流长，如成书于西汉中后期我国现存最早的医学典籍《黄帝内经》，把养生的理论和方法叫作“养生之道”。又如《素问·上古天真论》云：“上古之人，其知道者，法于阴阳，和于术数，食饮有节，起居有常，不妄作劳，故能形与神俱，而尽终其天年，度百岁乃去。”此处的“道”，就是养生之道。

需要强调的是，能否健康长寿，不仅在于能否懂得养生之道，更为重要的是能否把养生之道贯彻应用到日常生活中去。

此后，历代养生家根据各自的实践，对于“养生之道”都有着深刻的体会，如唐代孙思邈精通道、佛之学，广集医、道、儒、佛诸家养生之说，并结合自己多年丰富的实践经验，在《千金要方》《千金翼方》两书中记载了大量的养生内容，其中既有“道林养性”“房中补益”“食养”等道家养生之说，也有“天竺国按摩法”等佛家养生功法。这些不仅丰富了养生内容，也使得诸家传统养生法得以流传于世，在我国养生发展史上，具有承前启后的作用。

宋金元时期，中医养生理论和养生方法日益丰富发展，出现了众多的养生专著，如宋代陈直撰《养老奉亲书》，元代邹铉在此书的基础上继增三卷，更名为《寿亲养老新书》，其特别强调了老年人的起居护理，指出老年之人，体力衰弱，动作多有不便，故对其起居作息、行动坐卧，都须合理安排，应当处处为老人提供便利条件，细心护养。在药物调治方面，老年人气色已衰，精神减耗，所以不能像对待年轻人那样施用峻猛方药。其他诸如周守忠的《养生类纂》、李鹏飞的《三元参赞延寿书》、王珪的《泰定养生主论》等，也均为养生学的发展做出了不同程度的贡献。

明清之际，先后出现了很多著名养生学家和专著，进一步丰富和完善了中医养生学的内容，如明代高濂的《遵生八笺》从气功角度提出了养心坐功法、养肝坐功法、养脾坐功法、养肺坐功法、养肾坐功法，又对心神调养、四时调摄、起居安乐、饮馔服食及药物保健等方面做了详细论述，极大丰富了调养五脏学说。清代尤乘在总结前人经验的基础上编著《寿世青编》一书，在调神、饮食、保精等方面提出了养心说、养肝说、养脾说、养肺说、养肾说，为五脏调养的完善做出了一定贡献。在这一时期，中医养生保健专著的撰辑和出版是养生学史的鼎盛时期，全面地发展了养生方法，使其更加具体实用。

综上所述，在中医理论指导下，先哲们的养生之道在静神、动形、固精、调气、食养及药饵等方面各有侧重，各有所长，从不同角度阐述了养生理论和方法，丰富了养生学的内容，强调形神共养、协调阴阳、顺应自然、饮食调养、谨慎起居、和调脏腑、通畅经络、节欲保精、益气调息、动静适宜等，使养生活动有章可循、有法可依。例如，饮食养生强调食养、食节、食忌、食禁等；药物保健则注意药养、药治、药忌、药禁等；传统的运动养生更是功种繁多，如动功有太极拳、八段锦、易筋经、五禽戏、保健功等，静功有放松功、内养功、强壮功、意气功、真气运行法等，动静结合功有空劲功、形神桩等。无论选学哪种功法，只要练功得法，持之以恒，都可收到健身防病、益寿延年之效。针灸、按摩、推拿、拔火罐等，也都方便易行，效果显著。诸如此类的方法不仅深受我国人民喜爱，而且远传世界各地，为全人类的保健事业做出了应有的贡献。

本套丛书选取了中医药学发展史上著名的养生专论或专著，加以句读和注解，其中节选的有《黄帝内经》《备急千金要方》《千金翼方》《闲情偶寄》《遵生八笺》《福寿丹书》，全选的有《摄生消息论》《修龄要指》《摄生三要》《老老恒言》《寿亲养老新书》《养生类要》《养生类纂》《养生秘旨》《养性延命录》《饮食须知》《寿世青编》《养生三要》《寿世传真》《食疗本草》。可以说，以上这些著作基本覆盖了中医养生学的内容，通过阅读，读者可以在品味古人养生精华的同时，培养适合自己的养生理念与方法。

当然，由于这些古代著作成书年代所限，其中难免有些糟粕或者不合时宜之处，还望读者甄别并正确对待。

翟双庆

2017年3月

编写说明

《黄帝内经》分《素问》《灵枢》两部分，是中国最早的医学典籍。《素问》之名，始见于东汉末年名医张仲景的《伤寒杂病论》。

其中《素问》共 81 篇。第 1 ~ 8 卷计 30 篇，主要讨论阴阳五行、藏象、病机、诊断、治疗、养生等医学基本理论问题；第 9 ~ 13 卷计 19 篇，主要讨论病证；第 14 ~ 18 卷计 16 篇，主要讨论经络与刺法理论；第 19 ~ 22 卷计 9 篇，主要讨论五运六气学说；第 23 ~ 24 卷计 7 篇，主要为医学教育与理论上难以归类的篇章。《素问》主要从天地宇宙的宏观出发，运用精气学说和阴阳五行学说，解释和论证天人关系及人的生命活动规律和疾病发生发展过程，有陈源问本之意，故名“素问”。

《灵枢》共 9 卷，81 篇。其篇章顺序在流传过程中的变化已不可考，其卷数多寡历代也多有不同，现存的卷次和篇目顺序与其学术系统没有明显的对应关系。《灵枢》多讲“医术”，进行技术的传授，重在形体官窍、精气神、经络俞穴及其病证、刺灸法。在论述方法上，书中各篇多围绕一个主题从不同角度进行阐发。

《黄帝内经》全面论述了中医学理论体系的基本内容和理论原则，以及四时环境、饮食起居、运动锻炼、精神情志、劳逸房事等养生大法。本书节选了其中的主要篇章，均为至今有益人们日常养生的内容并加以注释，不当之处，恳请读者批评指正。

编者

2017 年 3 月

目录

素问

上古天真论篇第一 …… 1
四气调神大论篇第二 …… 10
生气通天论篇第三 …… 16
金匮真言论篇第四 …… 26
阴阳应象大论篇第五 …… 31
灵兰秘典论篇第八 …… 45
六节藏象论篇第九（节选） …… 48
五脏生成篇第十（节选） …… 51
五脏别论篇第十一 …… 54
异法方宜论篇第十二 …… 57
移精变气论篇第十三 …… 60
汤液醪醴论篇第十四 …… 64

目录 MULU

脉要精微论篇第十七（节选） 68
玉机真脏论篇第十九（节选） 75
经脉别论篇第二十一（节选） 77
脏气法时论篇第二十二（节选） 80
宣明五气篇第二十三（节选） 82
宝命全形论篇第二十五（节选） 84
八正神明论篇第二十六（节选） 86
太阴阳明论篇第二十九 88
热论篇第三十一（节选） 92
咳论篇第三十八 94
举痛论篇第三十九（节选） 98
腹中论篇第四十（节选） 100
痹论篇第四十三（节选） 102
病能论篇第四十六（节选） 104
奇病论篇第四十七（节选） 105
刺禁论篇第五十二（节选） 107
调经论篇第六十二（节选） 110
至真要大论篇第七十四（节选） 111
方盛衰论篇第八十（节选） 116

灵枢

九针十二原第一（节选） 118
邪气脏腑病形第四（节选） 120
寿夭刚柔第六（节选） 123
本神第八（节选） 126
终始第九（节选） 131
经脉第十（节选） 133
脉度第十七（节选） 135
营卫生会第十八（节选） 137
师传第二十九（节选） 140
决气第三十 143
淫邪发梦第四十三 146
顺气一日分为四时第四十四（节选） 149
本脏第四十七（节选） 151
天年第五十四 153
五味第五十六 157
贼风第五十八 161
五味论第六十三（节选） 164
百病始生第六十六（节选） 165

素问

上古天真论篇第一

昔在黄帝[①]，生而神灵[②]，弱而能言[③]，幼而徇齐[④]，长而敦敏[⑤]，成而登天[⑥]。

注

①黄帝：古帝名，传说是中原各族的共同祖先，少典之子，姓公孙，居轩辕之丘，故号轩辕氏。又居姬水，因改姓姬。国于有熊，也称有熊氏。

②神灵：神异，可引申为聪明伶俐。

③能言：能，指在某方面见长。能言指善于言辞。

④徇（xùn）齐：疾速，引申指敏慧。

⑤敦敏：忠诚厚实为敦，聪明颖达为敏。

⑥登天：指登帝位。

乃问于天师[1]曰：余闻上古之人，春秋[2]皆度百岁，而动作不衰；今时之人，年半百而动作皆衰者，时世异耶？人将失之耶[3]？

注

①天师：即黄帝对岐伯的尊称。
②春秋：指年龄。
③人将失之耶：将，还是的意思，即“将人失之耶”。

岐伯对曰：上古之人，其知道者[1]，法于阴阳[2]，和于术数[3]，食饮有节，起居有常，不妄作劳[4]，故能形与神俱[5]，而尽终其天年[6]，度百岁乃去。

注

①其知道者：知晓养生之道的人。
②法于阴阳：法，效法，即遵循、顺应。遵循自然天地阴阳的变化规律。
③术数：指专门的养生方法和技术。
④不妄作劳：妄，乱，不正常。劳作合宜，不违背常规与法度。
⑤形与神俱：俱，偕也，即共存与协调的意思。形体与精神健全与协调。

⑥天年：自然赋予人的寿命。

今时之人不然也，以酒为浆[①]，以妄为常[②]，醉以入房，以欲竭其精[③]，以耗散其真[④]，不知持满[⑤]，不时御神[⑥]，务快其心，逆于生乐[⑦]，起居无节，故半百而衰也。

注

①以酒为浆：把酒当作水浆饮用。
②以妄为常：把不正常当作正常。
③以欲竭其精：指人嗜欲过度，则会耗竭人体的阴精。
④真：指人的先天真气。
⑤持满：保持精气的充满。
⑥不时御神：时，善于。不善于驾驭自己的精神。
⑦逆于生乐：违背养生的乐趣。

夫上古圣人[①]之教下也，皆谓之虚邪贼风[②]，避之有时，恬惔虚无[③]，真气从之，精神内守[④]，病安从来。是以志闲而少欲[⑤]，心安而不惧，形劳而不倦，气从以顺[⑥]，各从其欲，皆得所愿。

注

①圣人：精通养生之道的人。
②虚邪贼风：指一切不正常的气候变化和外在的致病因素。
③恬惔虚无：思想安静，心无杂念。
④精神内守：精神守于内而不妄耗。
⑤志闲而少欲：闲，引申为限制、控制。也就是控制情志和嗜欲。
⑥气从以顺：气，真气。真气调达和顺。

故美其食[①]，任其服[②]，乐其俗，高下不相慕，其民故曰朴[③]。是以嗜欲不能劳其目，淫邪不能惑其心，愚智贤不肖[④]不惧于物[⑤]，故合于道。所以能年皆度百岁而动作不衰者，以其德全不危[⑥]也。

注

①美其食：以所能吃到的食物为美。
②任其服：任，随便。有衣服穿即好，不求奢华。
③朴：朴实无华。
④愚智贤不肖：愚，指愚笨者；智，指聪明者；贤，指品德高尚者；不肖，不贤之人。
⑤不惧于物：不为外物所惊扰。
⑥德全不危：全面实施养生之道，不会有衰老的危害。

帝曰：人年老而无子者，材力[1]尽邪？将天数[2]然也？岐伯曰：女子七岁，肾气盛，齿更[3]发长。二七而天癸[4]至，任脉通，太冲脉[5]盛，月事以时下，故有子。三七，肾气平均，故真牙[6]生而长极。四七，筋骨坚，发长极，身体盛壮，五七，阳明脉衰，面始焦[7]，发始堕。六七，三阳脉衰于上，面皆焦，发始白。七七，任脉虚，太冲脉衰少，天癸竭，地道不通[8]，故形坏而无子也。

注

①材力：精力，即生殖机能。

②天数：自然赋予的寿数，即天年。

③齿更：更，更换。指人到七岁，乳牙脱落，更换恒齿。

④天癸：天，先天；癸，癸水。是肾气充盛产生的促进生殖功能发育、成熟、旺盛的精微物质。

⑤太冲脉：即冲脉。

⑥真牙：真，通“巅”，尽头之意。真牙，即智齿。

⑦焦：通“憔”，即憔悴。

⑧地道不通：地道，指月经通行之道。指月经停止来潮。

丈夫八岁，肾气实，发长齿更。二八，肾气盛，天癸至，精气溢泻[①]，阴阳和[②]，故能有子。三八，肾气平均，筋骨劲强，故真牙生而长极。四八，筋骨隆盛，肌肉满壮。五八，肾气衰，发堕齿槁。六八，阳气衰竭于上，面焦，发鬓颁白[③]。七八，肝气衰，筋不能动，天癸竭，精少，肾脏衰，形体皆极。八八，则齿发去。肾者主水[④]，受五脏六腑之精而藏之，故五脏盛，乃能泻[⑤]。今五脏皆衰，筋骨解堕，天癸尽矣。故发鬓白，身体重，行步不正，而无子耳。

注

①精气溢泻：溢，盈满。精气盈满而能外泄。
②阴阳和：男女交合。又指男子阴阳气血调和。
③颁白：即斑白，指头发黑白相杂，俗称花白。
④肾者主水：指肾藏精的功能。
⑤五脏盛，乃能泻：五脏精气盛，乃泻藏于肾。又指五脏精气盛，则肾才能够泄精。

帝曰：有其年已老而有子者何也？岐伯曰：此其天寿过度，气脉常通[①]，而肾气有余也。此虽有子，男不过尽八八，女不过尽七七，而天地之精气[②]皆竭矣。帝曰：夫道者年皆百数，能有子乎？岐伯曰：夫道者能却老而全形[③]，身年虽寿，能生子也。

注

①气脉常通：常，通“尚”。气血经脉尚且通畅。

②天地之精气：天地，指男女。指男女的生殖之精。

③却老而全形：延缓衰老而保全形体。

黄帝曰：余闻上古有真人[①]者，提挈天地，把握阴阳[②]，呼吸精气[③]，独立守神[④]，肌肉若一[⑤]，故能寿敝天地，无有终时，此其道生[⑥]。

中古之时，有至人[⑦]者，淳德全道[⑧]，和于阴阳，调于四时，去世离俗，积精全神[⑨]，游行天地之间，视听八达之外[⑩]，此盖益其寿命而强者也，亦归于真人。

注

①真人：谓修真得道之人。

②提挈天地，把握阴阳：为互文，即掌握自然界阴阳运动变化的规律。

③呼吸精气：指吐纳之法，调节呼吸之类的技术。

④独立守神：精神内守而不外弛。

⑤肌肉若一：肌肤始终保持青春不衰。

⑥道生：是指行为符合养生之道而长生。

⑦至人：修养高深之人。

⑧淳德全道：指具有高尚的道德修养，并能全面掌握养生之道。

⑨去世离俗，积精全神：远离世俗之干扰，保全精神之意。

⑩游行天地之间，视听八达之外：身体自由自在地游行于大自然中，耳目见闻能远达于八方之外。

其次有圣人者，处天地之和，从八风之理[①]，适嗜欲于世俗之间，无恚嗔[②]之心，行不欲离于世，被服章[③]，举不欲观于俗[④]，外不劳形于事，内无思想之患，以恬愉为务，以自得为功，形体不敝，精神不散，亦可以百数。

其次有贤人[⑤]者，法则天地，象似日月[⑥]。辩列星辰[⑦]，逆从阴阳[⑧]，分别四时，将从上古合同于道[⑨]，亦可使益寿而有极时。

注

①处天地之和，从八风之理：八风，指四正四隅八方之风，在此代称气候变化。指安居于和谐的自

然环境之中，顺应于四季气候变化规律。

②恚嗔：同义复词，均指怨恨、恼怒。

③被服章：《新校正》云："详被服章三字疑衍，此三字上下文不属。"可作衍文处理。

④举不欲观于俗：观，显示，炫耀。是指行为举止不在世俗炫耀。

⑤贤人：德才兼备的人。

⑥象似日月：即效仿日月运行变化以养生。

⑦辩列星辰：据天象变化而行养生之法。

⑧逆从阴阳：逆从，偏义副词，偏"从"之义，顺从。顺从四时阴阳变化。

⑨将从上古合同于道：将，随也。即追随上古之人，使自己的行为符合养生之道。

素问

四气调神大论篇第二

春三月，此谓发陈[1]，天地俱生，万物以荣，夜卧早起，广步于庭，被发缓形[2]，以使志生，生而勿杀，予而勿夺，赏而勿罚，此春气之应，养生之道也。逆之则伤肝，夏为寒变[3]，奉长者少[4]。

注

①发陈：发，启也；陈，敷布。即推陈出新。

②被发缓形：被，通“披”，披开束发。缓形，宽松衣带，使形体舒展。

③夏为寒变：逆春气伤肝，木伤而不能生火，奉长

者少，故于夏月火令之时，反变而为寒病。

④奉长者少：奉养夏长之气不足。

夏三月，此谓蕃秀[①]，天地气交，万物华实[②]，夜卧早起，无厌于日，使志无怒，使华英成秀[③]，使气得泄，若所爱在外[④]，此夏气之应，养长之道也。逆之则伤心，秋为痎疟[⑤]，奉收者少，冬至重病。

注

①蕃秀：蕃，茂盛。秀，秀美。这里指景象繁茂秀丽。

②华实：指草木开花结果。

③使华英成秀：秀，秀丽，旺盛。使人的神气旺盛。

④若所爱在外：指心情舒畅外向。

⑤痎疟：疟疾的总称。

秋三月，此谓容平[①]，天气以急，地气以明[②]，早卧早起，与鸡俱兴，使志安宁，以缓秋刑[③]，收敛神气，使秋气平，无外其志，使肺气清，此秋气之应，养收之道也。逆之则伤肺，冬为飧泄[④]，奉藏者少。

注

①容平：容，收容；平，平定。指秋季形态平定，不再生长的自然景象。

②天气以急，地气以明：指天空之风气劲急，地面的景象清肃。

③秋刑：指秋天的气候能使草木凋谢，能使人体内的阳气收敛。

④飧泄：泻下不消化之食物，也称完谷不化。

冬三月，此谓闭藏[①]，水冰地坼，无扰乎阳[②]，早卧晚起，必待日光，使志若伏若匿，若有私意，若已有得[③]，去寒就温，无泄皮肤，使气亟夺[④]，此冬气之应，养藏之道也。逆之则伤肾，春为痿厥[⑤]，奉生者少。

注

①闭藏：形容冬季阳气闭藏，生机潜伏的自然景象。

②水冰地坼，无扰乎阳：坼，裂也。冬季寒冷，水成冰而地冻裂，阳气宜固潜于内，不使其受扰动。

③使志若伏若匿，若有私意，若已有得：精神内守而不外露，如同有隐私而不外泄，得到所爱之物而窃喜。

④无泄皮肤，使气亟夺：亟，多次、频数之意。夺，耗夺、剥夺。不要频繁汗出，使阳气耗散。

⑤痿厥：肢体软弱无力，手足逆冷。

天气，清净光明者也，藏德不止[①]，故不下也。天明则日月不明，邪害空窍[②]，阳气者闭塞，地气者冒明[③]，云雾不精[④]，则上应白露[⑤]不下。交通不表[⑥]，万物命故不施[⑦]，不施则名木[⑧]多死。恶气不发[⑨]，风雨不节，白露不下，则菀稾[⑩]不荣。贼风数至，暴雨数起，天地四时不相保，与道相失，则未央绝灭。唯圣人从之，故身无奇病，万物不失，生气不竭。

注

①藏德不止：德，指推动宇宙自然万物运动变化、生生不息的力量。天藏蓄着这样的力量，运行不息。

②空窍：空，孔也。即孔窍，在这里指自然界的山川。

③地气者冒明：冒，蒙蔽覆盖的意思。地之阴气遮蔽阳光。

④云雾不精：精，清明之意。指云雾弥漫，日光不清明。

⑤白露：泛指雨露。

⑥交通不表：表，表现，显露。天地之气不表现出上下交通之象。

⑦万物命故不施（yì）：施，延。万物的生命不能

延续。

⑧名木：高大的树木。

⑨恶气发：有害于生物的气候发作。

⑩菀槀（gǎo）：菀，茂盛；槀，禾秆。茂盛的禾苗。

逆春气，则少阳不生，肝气内变。逆夏气，则太阳不长，心气内洞①。逆秋气，则太阴不收，肺气焦满②。逆冬气，则少阴不藏，肾气独沉③。

夫四时阴阳④者，万物之根本也，所以圣人春夏养阳，秋冬养阴⑤，以从其根，故与万物沉浮于生长之门⑥。逆其根，则伐其本，坏其真矣。故阴阳四时者，万物之终始也，死生之本也，逆之则灾害生，从之则苛疾⑦不起，是谓得道。道者，圣人行之，愚者佩⑧之。

注

①心气内洞：心气内虚不足。

②肺气焦满：肺热叶焦，胸中胀满。

③肾气独沉：沉，坠也，引申为下泄。肾气失藏而下泄为病。

④四时阴阳：阴阳随四季的变化而消长。

⑤春夏养阳，秋冬养阴：春夏宜顺应生长之气蓄养

阳气，秋冬宜顺应收藏之气蓄养阴气。

⑥与万物沉浮于生长之门：圣人遵循四时阴阳规律，同自然万物一样，生存于天地阴阳变化之中。

⑦苛疾：苛，同“疴”，病也。苛疾，即疾病。

⑧佩：违背，违逆。

从阴阳则生，逆之则死，从之则治，逆之则乱。反顺为逆，是谓内格[①]。

是故圣人不治已病治未病，不治已乱治未乱，此之谓也。夫病已成而后药之，乱已成而后治之，譬犹渴而穿井，斗而铸锥[②]，不亦晚乎！

注

①内格：人体脏腑气血活动与自然阴阳变化不相适应。

②锥：指兵器，武器。

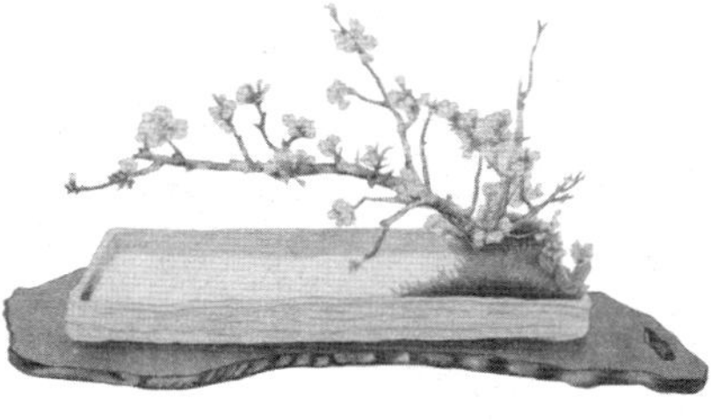

素问

生气通天论篇第三

黄帝曰：夫自古通天者[①]，生之本，本于阴阳[②]。天地之间，六合[③]之内，其气九州九窍、五脏、十二节[④]，皆通乎天气。其生五[⑤]，其气三[⑥]，数犯此者，则邪气伤人，此寿命之本也。

注

①通天者：天，概括天地。此指人的生命活动，因人与天地自然相通故名。

②生之本，本于阴阳：人之阳气源于天，人之阴精本于地，天人阴阳之理相通，人生本于阴阳。

③六合：指东南西北四方及上下，合称六合。

④十二节：指四肢十二个大关节。
⑤其生五：天气生金、木、水、火、土五行。
⑥其气三：指阴阳之气各分为三，即太阴、少阴、厥阴与太阳、少阳、阳明。

苍天之气①，清净则志意治②，顺之则阳气固，虽有贼邪③，弗能害也，此因时之序④。故圣人传精神⑤，服天气⑥，而通神明⑦。失之则内闭九窍，外壅肌肉，卫气散解，此谓自伤，气之削⑧也。

注

①苍天之气：指天气。
②治：调畅平和之意。
③贼邪：指自然界的致病因素。
④因时之序：因，顺也。顺应四时气候变化的规律而养生。
⑤传（tuán）精神：传，通“抟”，聚也。精神专注，聚精会神。
⑥服天气：服，顺也。顺应自然界阴阳之气的变化。
⑦通神明：通，指统一。神明，此指阴阳变化。指人体阴阳之气与自然界阴阳之气变化相统一。
⑧气之削：阳气被削弱。

阳气者，若天与日[①]，失其所[②]，则折寿而不彰[③]，故天运[④]当以日光明。是故阳因而上[⑤]，卫外者也。因于寒，欲如运枢[⑥]，起居如惊[⑦]，神气乃浮[⑧]。因于暑，汗，烦则喘喝[⑨]，静则多言，体若燔炭，汗出而散。因于湿，首如裹，湿热不攘[⑩]，大筋緛短，小筋弛长，緛短为拘，弛长为痿。因于气，为肿，四维相代，阳气乃竭。

注

①若天与日：阳气之于人体，如同大自然之中太阳的作用一样。

②失其所：所，处所。即阳气失去了它的场所，也就是阳气运行失常。

③折寿而不彰：彰，明显、显著。寿命短折而不能彰著于人世。

④天运：自然万物的运动。

⑤阳因而上：因，顺也，因其性而然。人身阳气向上向外升腾布散。

⑥运枢：转动的门轴。比喻人体阳气的卫外作用，像门轴那样主司肌表腠理的开阖作用。

⑦起居如惊：起居，泛指生活作息。惊，指妄动。指生活作息不规律。

⑧神气乃浮：神气，指阳气。指阳气浮散损伤。

⑨烦则喘喝：烦躁不安，呼吸喘促气粗。
⑩攘（rǎng）：除也。

阳气者，烦劳则张[①]，精绝，辟积[②]于夏，使人煎厥[③]。目盲不可以视，耳闭不可以听，溃溃乎若坏都[④]，汩汩乎不可止[⑤]。阳气者，大怒则形气绝[⑥]，而血菀于上[⑦]，使人薄厥[⑧]。有伤于筋，纵，其若不容[⑨]，汗出偏沮[⑩]，使人偏枯。

注

①烦劳则张：烦，通“繁”，频繁。烦劳，即过度操劳。张，外张，此处意指亢盛。
②辟积：辟，通“襞”，即衣裙皱褶，引申为重复。重复积累。
③煎厥：因阳气亢盛煎灼阴精引起的气逆昏厥的病证。
④溃溃乎若坏都：形容发病像都城破溃一样来势凶猛。
⑤汩汩乎不可止：汩汩，水流急之声。形容病变发展迅速，无法遏止。
⑥形气绝：指脏腑经络之气阻绝不通。
⑦血菀于上：菀，同“郁”。上，意指心胸及头。血液郁积于心胸及头部。

⑧薄厥：薄，迫也。气血因大怒而上逆于心胸或头部所致的昏厥病证。

⑨纵，其若不容：容，通“用”。谓筋脉弛纵，肢体不能随意运动。

⑩汗出偏沮（jǔ），使人偏枯：沮，作止解。言人偏侧身半无汗，是半身不遂的先兆。

汗出见湿，乃生痤疿[①]。高梁之变，足生大丁[②]，受如持虚[③]。劳汗当风，寒薄为皶[④]，郁乃痤。阳气者，精则养神，柔则养筋。开阖不得，寒气从之，乃生大偻[⑤]。陷脉为瘘[⑥]，留连肉腠。俞气化薄[⑦]，传为善畏，及为惊骇。营气不从，逆于肉理，乃生痈肿。魄汗[⑧]未尽，形弱而气烁[⑨]，穴俞以闭，发为风疟。故风者，百病之始也，清静则肉腠闭拒，虽有大风苛毒[⑩]，弗之能害，此因时之序也。

注

①痤疿（cúo féi）：痤，小疖。疿，汗疹，又称痱子。

②高梁之变，足生大丁：高，通“膏”，脂肪类食物。梁，通“粱”，指细粮。丁，通“疔”，疔疮。指嗜食膏粱厚味，易发疔疮之证。

③受如持虚：形容患病之易，如持空虚之器以受物。

④皶（zhā）：粉刺。

⑤大偻：偻，曲背。指体态伛偻而不能直立。
⑥陷脉为瘘：谓邪气深陷经脉而为瘘管。
⑦俞气化薄：谓邪气由腧穴内传而迫及五脏。
⑧魄汗：魄，通“白”。白汗，指不因暑热蒸迫而自汗。
⑨形弱而气烁：烁，消也。言形体瘦弱而阳气被热邪所耗伤。
⑩大风苛毒：泛指剧烈的致病因素。

故病久则传化①，上下不并②，良医弗为。故阳畜积病死③，而阳气当隔，隔者当泻④，不亟⑤正治，粗乃败之。故阳气者，一日而主外，平旦⑥人气生，日中而阳气隆，日西而阳气已虚，气门⑦乃闭。是故暮而收拒，无扰筋骨，无见雾露，反此三时，形乃困薄。

注

①传化：即传变。
②上下不并：上下不相交通，互相阻隔。
③阳畜积病死：阳气蓄积不行，闭阻致死。畜，同“蓄”。
④阳气当隔，隔者当泻：第一个“当”字通“挡”。谓阳气蓄积乃阳气阻塞不通的危证，当急泻阳气以恢复其畅通。
⑤亟（jí）：急速。

⑥平旦：指清晨。
⑦气门：汗孔。

岐伯曰：阴者，藏精而起亟[1]也；阳者，卫外而为固[2]也。阴不胜其阳，则脉流薄疾，并乃狂[3]。阳不胜其阴，则五脏气争[4]，九窍不通。是以圣人陈阴阳[5]，筋脉和同，骨髓坚固，气血皆从。如是则内外调和，邪不能害，耳目聪明，气立如故[6]。

注

①阴者，藏精而起亟：亟，频数。阴主藏精，阴精需不断地起而响应阳气之需求，滋助阳气。
②阳者，卫外而为固：阳主卫外，使阴精能固守于内而不妄耗。
③并乃狂：阳热邪气侵犯人体属于阳的部位，则阳热胜极，扰乱神明而发狂。
④五脏气争：五脏功能失调。
⑤陈阴阳：陈，陈列，引申为调和。指调和阴阳。
⑥气立如故：脏腑经络之气运行正常。

风客淫[1]气，精乃亡，邪伤肝也。因而饱食，筋脉横解[2]，肠澼[3]为痔。因而大饮，则气逆。因而强力④，肾气乃伤，高骨⑤乃坏。

注

①淫：浸淫，发展。指邪气渐渐内侵。

②筋脉横解：横，放纵。筋脉纵缓的意思。

③肠澼：痢疾。

④强力：勉强用力。

⑤高骨：指腰间脊骨。

凡阴阳之要，阳密乃固①，两者不和，若春无秋，若冬无夏，因而和之，是谓圣度②。故阳强不能密③，阴气乃绝，阴平阳秘，精神乃治④，阴阳离决，精气乃绝。

注

①阳密乃固：阳气致密于外，阴精才能固守于内。

②圣度：圣人养生的法度。

③阳强不能密：阳强，指阳气过亢。阳气过亢而为邪，不能发挥其正常的卫外、固护阴精的作用。

④阴平阳秘，精神乃治：阴平与阳秘是互文，即阴阳平秘。平秘，平和协调的意思。人的阴阳平和协调，是精与神化生的基础，也是健康的保证。

因于露风①，乃生寒热。是以春伤于风，邪气留连，乃为洞泄②。夏伤于暑，秋为痎疟③。秋伤于湿，上逆而咳，发为痿厥④。冬伤于寒，春必温病。四时之气，更伤五脏⑤。

注

①露风：雾露风寒等外界致病因素。

②洞泄：指水谷不化、下利不止的重度泄泻。

③痎疟：疟疾的统称。

④痿厥：即痿病。

⑤四时之气，更伤五脏：指四时邪气更替地伤害五脏。

阴之所生，本在五味①，阴之五宫②，伤在五味。是故味过于酸，肝气以津，脾气乃绝③。味过于咸，大骨④气劳，短肌，心气抑。味过于甘⑤，心气喘满⑥，色黑，肾气不衡。味过于苦⑦，脾气不濡，胃气乃厚⑧。味过于辛，筋脉沮⑨弛，精神乃央⑩。是故谨和五味，骨正筋柔，气血以流，腠理以密，如是则骨气以精，谨道如法，长有天命。

注

①阴之所生，本在五味：人之阴精，本源于饮食五味所化生。

②五宫：即五脏，因五脏主藏阴精故名。

③肝气以津，脾气乃绝：津，过盛之意。绝，衰竭。过食酸味，导致肝气过亢，乘伐脾土，进而使脾气衰竭。

④大骨：指腰、髋、膝、肩等部位的骨骼。

⑤甘：《太素》作“苦”。

⑥喘满：喘，此指心跳急促。满，通“懑”，烦闷。

⑦苦：《太素》作“甘”。

⑧脾气不濡，胃气乃厚：不，助词，无义。濡，湿也。厚，实也，指胀满、厌食之类的胃实证。

⑨沮（jǔ）：败坏的意思。

⑩央：通“殃”。

素问

金匮真言论篇第四

黄帝问曰：天有八风，经有五风[①]，何谓？岐伯对曰：八风发邪[②]，以为经风，触五脏，邪气发病。所谓得四时之胜者，春胜长夏[③]，长夏胜冬，冬胜夏，夏胜秋，秋胜春，所谓四时之胜也。东风生于春，病在肝，俞在颈项；南风生于夏，病在心，俞在胸胁；西风生于秋，病在肺，俞在肩背；北风生于冬，病在肾，俞在腰股；中央为土，病在脾，俞在脊。

注

①五风：即肝风、脾风、心风、肺风、肾风。

②八风发邪：自然界邪气侵入五脏而发病。
③长夏：指夏秋两季之间，亦称季夏，即农历六月。

故春气者病在头，夏气者病在脏，秋气者病在肩背，冬气者病在四肢。故春善病鼽衄[①]，仲夏[②]善病胸胁，长夏善病洞泄寒中[③]，秋善病风疟，冬善病痹厥[④]。故冬不按蹻[⑤]，春不鼽衄，春不病颈项，仲夏不病胸胁，长夏不病洞泄寒中，秋不病风疟，冬不病痹厥，飧泄，而汗出也。夫精者，身之本也。故藏于精者，春不病温。夏暑汗不出者，秋成风疟。此平人脉法也。

注

①鼽衄：鼻塞，鼻中出血。
②仲夏：夏季农历五月。
③寒中：寒气在里，即里寒。
④痹厥：手足麻木逆冷。
⑤按蹻：按摩导引。

故曰：阴中有阴，阳中有阳。平旦至日中[①]，天之阳，阳中之阳也；日中至黄昏[②]，天之阳，阳中之阴也；合夜至鸡鸣[③]，天之阴，阴中之阴也；鸡鸣至平旦[④]，天之阴，阴中之阳也。故人亦应之。夫言人之阴阳，则外为阳，内为阴。言人身之阴阳，则背为阳，腹为阴。言人身之脏腑中阴阳，则脏者为阴，腑者为阳。肝心脾肺肾五脏皆为阴，胆胃大肠小肠膀胱三焦六腑皆为阳。

注

①平旦至日中：清晨至中午。
②日中至黄昏：中午至日落。
③合夜至鸡鸣：日落至半夜。
④鸡鸣至平旦：半夜至清晨。

所以欲知阴中之阴、阳中之阳者何也？为冬病在阴，夏病在阳，春病在阴，秋病在阳，皆视其所在，为施针石[①]也。故背为阳，阳中之阳，心也；背为阳，阳中之阴，肺也；腹为阴，阴中之阴，肾也；腹为阴，阴中之阳，肝也；腹为阴，阴中之至阴，脾也。此皆阴阳表里内外雌雄[②]相输应[③]也，故以应天之阴阳也。

注

①石：砭石。
②表里内外雌雄：均指属性相对的事物。
③输应：指联系和对应。

帝曰：五脏应四时，各有收受[1]乎？岐伯曰：有。东方青色，入通于肝，开窍于目，藏精于肝，其病发惊骇，其味酸，其类草木，其畜鸡，其谷麦，其应四时，上为岁星[2]，是以春气在头也，其音角，其数八，是以知病之在筋也，其臭臊。南方赤色，入通于心，开窍于耳，藏精于心，故病在五脏，其味苦，其类火，其畜羊，其谷黍，其应四时，上为荧惑星[3]，是以知病之在脉也，其音徵，其数七，其臭焦。中央黄色，入通于脾，开窍于口，藏精于脾，故病在舌本，其味甘，其类土，其畜牛，其谷稷，其应四时，上为镇星[4]，是以知病之在肉也，其音宫，其数五，其臭香。

注

①收受：以类相集，分别进行归纳。
②岁星：木星。

③荧惑星：火星。
④镇星：土星。

西方白色，入通于肺，开窍于鼻，藏精于肺，故病在背，其味辛，其类金，其畜马，其谷稻，其应四时，上为太白星[①]，是以知病之在皮毛也，其音商，其数九，其臭腥。北方黑色，入通于肾，开窍于二阴，藏精于肾，故病在溪[②]，其味咸，其类水，其畜彘[③]，其谷豆，其应四时，上为辰星[④]，是以知病之在骨也，其音羽，其数六，其臭腐。故善为脉者，谨察五脏六腑，一逆一从，阴阳、表里、雌雄之纪，藏之心意，合心于精。非其人勿教，非其真勿授，是谓得道。

注

①太白星：金星。
②溪：肉之小会。
③彘：猪。
④辰星：水星。

素问

阴阳应象大论篇第五

黄帝曰：阴阳者，天地之道[①]也，万物之纲纪[②]，变化之父母[③]，生杀之本始[④]，神明[⑤]之府也，治病必求于本。故积阳为天，积阴为地。阴静阳躁[⑥]，阳生阴长，阳杀阴藏。阳化气，阴成形。寒极生热，热极生寒[⑦]。寒气生浊，热气生清。清气在下，则生飧泄；浊气在上，则生䐜胀[⑧]。此阴阳反作，病之逆从[⑨]也。

注

①天地之道：自然界的规律。

②万物之纲纪：用来归纳事物的纲领。

③变化之父母：万物变化产生的根源。

④生杀之本始：事物产生和消亡的缘由。

⑤神明：能使事物发生运动变化的内在力量。

⑥阴静阳躁：阴主静，阳主动。

⑦寒极生热，热极生寒：用寒热的互变，说明阴阳的相互转化。

⑧䐜（chēn）胀：胀满。

⑨逆从：偏义词，逆的意思。

故清阳为天，浊阴为地；地气上为云，天气下为雨；雨出地气，云出天气。故清阳出上窍[①]，浊阴出下窍[②]；清阳发腠理[③]，浊阴走五脏[④]；清阳实四肢[⑤]，浊阴归六腑[⑥]。

水为阴，火为阳，阳为气，阴为味。味归形，形归气[⑦]，气归精，精归化[⑧]，精食气，形食味，化生精，气生形[⑨]。味伤形，气伤精，精化为气，气伤于味。

注

①清阳出上窍：饮食所化之精微，其轻清部分上升化为呼吸之气，并布散于头面七窍，以成发声、视觉、嗅觉、味觉、听觉等功能。

②浊阴出下窍：其糟粕重浊沉降，由前后二阴排出。

③清阳发腠理：饮食所化之精微，其轻清部分外行于腠理肌表。

④浊阴走五脏：浓稠部分内注于五脏。

⑤清阳实四肢：饮食物化生的精气，充养于四肢。

⑥浊阴归六腑：代谢后的糟粕，由六腑排出。

⑦味归形，形归气：饮食五味转化而滋养人的形体，形体得到滋养而能产生元气。

⑧气归精，精归化：饮食中的气可以温养人体的阴精，阴精又可以转化为元气。

⑨化生精，气生形：元气的气化功能促进了阴精的生成，同时也充养了形体。

阴味出下窍，阳气出上窍。味厚者为阴，薄为阴之阳。气厚者为阳，薄为阳之阴。味厚则泄[①]，薄则通。气薄则发泄[②]，厚则发热。壮火[③]之气衰，少火[④]之气壮。壮火食气，气食少火。壮火散气，少火生气。气味，辛甘发散为阳，酸苦涌泄[⑤]为阴。

注

①味厚则泄：味厚的具有泄下作用。

②气薄则发泄：气薄的具有发散的作用。

③壮火：指药物饮食气味峻猛的。

④少火：指药物饮食气味温和的。

⑤涌泄：呕吐和通泄。

阴胜①则阳病，阳胜则阴病。阳胜则热，阴胜则寒。重②寒则热，重热则寒。寒伤形，热伤气。气伤痛，形伤肿。故先痛而后肿者，气伤形也；先肿而后痛者，形伤气也。风胜则动③，热胜则肿④，燥胜则干⑤，寒胜则浮⑥，湿胜则濡泻⑦。

注

①胜：偏亢的意思。
②重：积累的意思。
③风胜则动：风邪导致肢体动摇震颤或头目晕眩。
④热胜则肿：阳气壅盛导致痈疡肿痛的病症。
⑤燥胜则干：出现内外津液干涸的病证。
⑥浮：浮肿。
⑦濡泻：又称湿泻，为湿邪伤脾不能运化水谷所致的泄泻便溏。

天有四时五行，以生长收藏，以生寒暑燥湿风。人有五脏，化五气①，以生喜怒悲忧恐。故喜怒伤气，寒暑伤形。暴怒伤阴，暴喜伤阳。厥气上行，满脉去形②。喜怒不节，寒暑过度，生乃不固。故重阴必阳，重阳必阴[3]。故曰：冬伤于寒，春必温病；春伤于风，夏生飧泄；夏伤于暑，秋必痎疟；秋伤于湿，冬生咳嗽。

注

①五气：五脏之气。

②厥气上行，满脉去形：厥逆之气上行而经脉满盛。

③重阴必阳，重阳必阴：阴阳在一定条件下的相互转化。

帝曰：余闻上古圣人，论理人形，列别脏腑，端络经脉[1]，会通六合[2]，各从其经，气穴[3]所发，各有处名，溪谷属骨[4]，皆有所起，分部逆从，各有条理，四时阴阳，尽有经纪，外内之应，皆有表里，其信然乎？岐伯对曰：东方生风，风生木，木生酸，酸生肝，肝生筋，筋生心，肝主目。其在天为玄，在人为道，在地为化。化生五味，道生智，玄生神[5]，神在天为风，在地为木，在体为筋，在脏为肝，在色为苍，在音为角，在声为呼，在变动为握，在窍为目，在味为酸，在志为怒。怒伤肝，悲胜怒；风伤筋，燥胜风；酸伤筋，辛胜酸。

注

①列别脏腑，端络经脉：区分脏腑的性质，加以归类，综合经脉的内容，找出头绪。
②六合：十二经脉中表里经的六对组合。
③气穴：经气所输注的孔穴，也称为经穴。
④属骨：与骨相连接的组织。
⑤神：指阴阳的变化。

南方生热，热生火，火生苦，苦生心，心生血，血生脾[1]，心主舌。其在天为热，在地为火，在体为脉，在脏为心，在色为赤，在音为徵[2]，在声为笑，在变动为忧，在窍为舌，在味为苦，在志为喜。喜伤心，恐胜喜；热伤气，寒胜热；苦伤气，咸胜苦。

中央生湿，湿生土，土生甘，甘生脾，脾生肉，肉生肺[3]，脾主口。其在天为湿，在地为土，在体为肉，在脏为脾，在色为黄，在音为宫[4]，在声为歌，在变动为哕[5]，在窍为口，在味为甘，在志为思。思伤脾，怒胜思；湿伤肉，风胜湿；甘伤肉，酸胜甘。

注

①血生脾：五行中火可生土，五脏中心可生脾。血，此代指心。

②徵（zhǐ）：古代五音之一，徵音高亢而应火气。

③肉生肺：五行中土可生金，五脏中脾可生肺。肉，此代指肺。

④宫：古代五音之一，宫音应土气而平稳。

⑤哕（yuě）：即呃逆干呕，为脾胃之病象。

西方生燥，燥生金，金生辛，辛生肺，肺生皮毛，皮毛生肾①，肺主鼻。其在天为燥，在地为金，在体为皮毛，在脏为肺，在色为白，在音为商②，在声为哭，在变动为咳③，在窍为鼻，在味为辛，在志为忧。忧伤肺，喜胜忧；热伤皮毛，寒胜热；辛伤皮毛，苦胜辛。

北方生寒，寒生水，水生咸，咸生肾，肾生骨髓，髓生肝④，肾主耳。其在天为寒，在地为水，在体为骨，在脏为肾，在色为黑，在音为羽⑤，在声为呻，在变动为栗⑥，在窍为耳，在味为咸，在志为恐。恐伤肾，思胜恐；寒伤血，燥胜寒；咸伤血，甘胜咸。

注

①皮毛生肾：五行中金可生水，五脏中肺可生肾。皮毛，此代指肺。

②商：古代五音之一，商音应金气而内收。

③咳：为肺气上逆之病象。

④髓生肝：五行中水可生木，五脏中肾可生肝。髓，此代指肾。

⑤羽：古代五音之一，羽音应水气而下降。

⑥栗：即战栗，为肾虚寒水之病象。

故曰：天地者，万物之上下也；阴阳者，血气之男女也；左右者，阴阳之道路[1]也；水火者，阴阳之征兆也；阴阳者，万物之能始[2]也。故曰：阴在内，阳之守也[3]；阳在外，阴之使也[4]。帝曰：法[5]阴阳奈何？岐伯曰：阳胜则身热，腠理闭，喘粗为之俯仰[6]，汗不出而热，齿干以烦冤[7]腹满死，能冬不能夏[8]。阴胜则身寒汗出，身常清，数栗而寒，寒则厥，厥则腹满死，能夏不能冬。此阴阳更胜之变，病之形能也[9]。

注

①左右者，阴阳之道路：古代浑天说认为，天体自东向西旋转。人站在地球上仰观天象，可见太空日月星辰自东向西运行，东方为人体之左，天左旋也，而大地则是自西而东旋转，西方为人体之右，地右动也。

②能（tāi）始：即胎始，元始、本原之意。

③阴在内，阳之守也：阴在内而为阳之镇守。

④阳在外，阴之使也：阳在外而为阴之使役。

⑤法：取法、效法之意。

⑥喘粗为之俯仰：指呼吸不利、憋气难受、坐卧不宁的样子。

⑦烦冤：言心胸烦闷。冤，同"悗"，闷也。

⑧能（nài）：通"耐"。

⑨能（tài）：通"态"。

帝曰：调此二者奈何？岐伯曰：能知七损八益[①]，则二者可调，不知用此，则早衰之节[②]也。年四十，而阴气自半也，起居衰矣。年五十，体重，耳目不聪明矣。年六十，阴痿[③]，气大衰，九窍不利，下虚上实，涕泣俱出矣。故曰：知之则强，不知则老，故同出而名异耳。智者察同，愚者察异[④]，愚者不足，智者有余，有余则耳目聪明，身体轻强，老者复壮，壮者益治。是以圣人为无为[⑤]之事，乐恬憺[⑥]之能，从欲快志[⑦]于虚无之守，故寿命无穷，与天地终，此圣人之治身也。

注

①七损八益：房事中损伤人体精气的七种情况和房事中有益于人体精气的八种方法。

②早衰之节：早衰之现象。

③阴痿：病证名，又称阳痿。

④智者察同，愚者察异：智者于同年未衰之时，就已经洞察明晰养生之道；愚者于衰老之时，才发现与智者的差异。

⑤无为：是顺应自然，不妄为的意思。

⑥恬憺（dàn）：心情安宁清净。

⑦从欲快志：顺从喜好，爽快行事。

天不足西北，故西北方阴也，而人右耳目不如左明也。地不满东南，故东南方阳也，而人左手足不如右强也。帝曰：何以然？岐伯曰：东方阳也，阳者其精并[①]于上，并于上则上明而下虚，故使耳目聪明而手足不便也。

西方阴也，阴者其精并于下，并于下则下盛而上虚，故其耳目不聪明而手足便[②]也。故俱感于邪，其在上则右甚，在下则左甚，此天地阴阳所不能全也，故邪居之。

故天有精[③]，地有形，天有八纪[④]，地有五理[⑤]，故能为万物之父母。清阳上天，浊阴归地，是故天地之动静，神明为之纲纪，故能以生长收藏，终而复始。惟贤人上配天以养头，下象地以养足，中傍人事以养五脏。天气通于肺，地气通于嗌[⑥]。风气通于肝，雷气通于心，谷气通于脾，雨气通于肾。六经为川，肠胃为海，九窍为水注之气。以天地为之阴阳，阳之汗，以天地之雨名之；阳之气，以天地之疾风名之。暴气[⑦]象雷，逆气象阳。故治不法天之纪，不用地之理，则灾害至矣。

注

①并：聚合。

②便：灵活便利。

③精：清轻之气。

④八纪：即八节，立春、立夏、立秋、立冬、春分、秋分、冬至、夏至八个主要节气。

⑤五理：五行之理。

⑥嗌：食道上口，又称咽。

⑦暴气：刚暴愤怒之气。

故邪风之至[①]，疾如风雨，故善治者治皮毛，其次治肌肤，其次治筋脉，其次治六腑，其次治五脏。治五脏者，半死半生也。故天之邪气，感则害人五脏；水谷之寒热，感则害于六腑；地之湿气，感则害皮肉筋脉。故善用针者，从阴引阳，从阳引阴[②]，以右治左，以左治右[③]，以我知彼[④]，以表知里，以观过与不及之理，见微得过[⑤]，用之不殆[⑥]。善诊者，察色按脉，先别阴阳；审清浊，而知部分[⑦]；视喘息，听音声，而知所苦；观权衡规矩[⑧]，而知病所主；按尺寸[⑨]，观浮沉滑涩，而知病所生。以治无过，以诊则不失矣。

注

①至：侵袭。

②从阴引阳，从阳引阴：阴，泛指内脏、五脏、阴经、胸腹部、下部等。阳，泛指体表、六腑、阳经、背部、上部等。引，指引经络之气来调节虚实。

③以右治左，以左治右：三阴三阳经脉，左右交叉，互相贯通，故针刺右侧腧穴可以治左侧病，针刺左侧腧穴可以治疗右侧疾病，此即缪刺之法。

④以我知彼：我，医生。彼，病人。

⑤见微得过：微，指病之初起，轻微之征象。过，疾病的发展变化。

⑥殆，危也。

⑦部分：指面部的五色分布，以知病变部位。

⑧权衡规矩：指四时脉象。

⑨尺寸：尺，指尺肤，即前臂内侧由肘至腕的皮肤。寸，指寸口脉。

故曰：病之始起也，可刺而已；其盛，可待衰而已。故因其轻而扬之[①]，因其重而减之[②]，因其衰而彰之[③]。形不足者，温之以气；精不足者，补之以味。其高者，因而越[④]之；其下者，引而竭之；中满者，泻之于内；其有邪者，渍形以为汗；其在皮者，汗而发之；其慓悍[⑤]者，按而收之[⑥]；其实者，散而泻之[⑦]。审其阴阳，以别柔刚，阳病治阴，阴病治阳，定其血气，各守其乡[⑧]，血实宜决之，气虚宜掣[⑨]引之。

注

①因其轻而扬之：病之初起在表，用疏散解表的方法治疗。

②因其重而减之：病情深重的，应逐步减轻，取效宜缓。

③彰：补益之法。

④越：吐法。

⑤慓悍：病势急猛。

⑥按而收之：查清病情加以控制。

⑦散而泻之：表实宜散，里实宜泻。

⑧乡：疾病的部位。

⑨掣（chè）引：提掣之意。

素问 灵兰秘典论篇第八

黄帝问曰：愿闻十二脏[①]之相使[②]，贵贱[③]何如？岐伯对曰：悉乎哉问也，请遂言之。心者，君主之官也，神明[④]出焉。肺者，相傅[⑤]之官，治节[⑥]出焉。肝者，将军之官，谋虑出焉。胆者，中正之官[⑦]，决断出焉。膻中[⑧]者，臣使之官，喜乐出焉。脾胃者，仓廪[⑨]之官，五味出焉。大肠者，传道之官，变化出焉。小肠者，受盛之官，化物出焉。肾者，作强之官，伎巧[⑩]出焉。三焦者，决渎之官，水道出焉。膀胱者，州都之官，津液藏焉，气化则能出矣。

注

①脏：概言脏腑。

②相使：相互使用。

③贵贱：主次，这里指心与其他脏腑的君臣关系。

④神明：此指精神意识，聪明智慧。

⑤相傅：古代官名，辅助君王治国者，如宰相、相国等。

⑥治节：治理、调节之意。

⑦中正之官：古代考核人品的官职。

⑧膻中：此指心包络。

⑨仓廪（lǐn）：储藏米谷之所。仓，谷藏曰仓。廪，米藏曰廪。

⑩伎巧：伎，同“技”，多能也；巧，精巧也。

凡此十二官者，不得相失也。故主明则下安，以此养生则寿，殁世不殆，以为天下则大昌。主不明则十二官危，使道[1]闭塞而不通，形乃大伤，以此养生则殃，以为天下者，其宗[2]大危，戒之戒之！至道在微，变化无穷，孰知其原！窘[3]乎哉，消者瞿瞿[4]，孰知其要！闵闵[5]之当，孰者为良！恍惚之数，生于毫氂[6]，毫氂之数，起于度量，千之万之，可以益大，推之大之，其形乃制。黄帝曰：善哉，余闻精光之道，大圣之业，而宣明大道，非斋戒择吉日，不敢受也。黄帝乃择吉日良兆，而藏灵兰之室⑦，以传保焉。

注

①使道：指心联系十二脏腑的血气运行通道，即血脉。

②宗：宗庙社稷，引申为国家的统治地位。

③窘（jiǒng）：为难。

④瞿瞿（qú）：此形容谨慎的样子。

⑤闵闵（mǐn）：此形容忧愁的样子。

⑥毫氂（lí）：兽尾毛，喻极细微之物。

⑦灵兰之室：即灵台兰室之简称，传说中黄帝的藏书之所。

素问

六节藏象论篇第九（节选）

岐伯曰：悉哉问也，天至广不可度，地至大不可量，大神灵问①，请陈其方②。草生五色，五色之变，不可胜视，草生五味，五味之美，不可胜极，嗜欲不同，各有所通。天食人以五气③，地食人以五味。五气入鼻，藏于心肺，上使五色修明，音声能彰。五味入口，藏于肠胃，味有所藏，以养五气④，气和而生，津液相成，神乃自生。

注

①大神灵问：对黄帝至尊至敬的称呼。

②方：道理。

③天食（sì）人以五气：食，饲养、供给。五气，风、暑、湿、燥、寒之五气。

④五气：五脏之气。

帝曰：藏象[1]何如？岐伯曰：心者，生之本，神之变也，其华在面，其充在血脉，为阳中之太阳，通于夏气。肺者，气之本，魄[2]之处也，其华在毛，其充在皮，为阳中之太阴，通于秋气。肾者，主蛰[3]封藏之本[4]，精之处也，其华在发，其充在骨，为阴中之少阴，通于冬气。肝者，罢极之本[5]，魂[6]之居也，其华在爪，其充在筋，以生血气，其味酸，其色苍，此为阳中之少阳，通于春气。脾胃大肠小肠三焦膀胱者，仓廪之本，营之居也，名曰器，能化糟粕，转味而入出者也[7]，其华在唇四白[8]，其充在肌，其味甘，其色黄，此至阴[9]之类，通于土气。凡十一脏，取决于胆也。

注

①藏象：藏，指藏于体内的内脏；象，指表现于外的各种征象。

②魄：不受意识所支配，属于人体本能的感觉和动作。

③蛰：蛰虫，即冬眠蛰藏之虫，此喻肾气闭藏精气。

④封藏（cáng）之本：肾旺于冬，应冬气主闭藏，是人体封闭潜藏功能之根本，以维护人体精气固守而不妄泄。

⑤罢（pí）极之本：一从生理解，以“罢”通熊罴（pí）之罴，罴即熊之雌者，耐劳而多勇力，用以喻肝脏任劳勇悍之性。一从病理解，罢，音义同“疲”，罢极，即劳困之意。

⑥魂：随心神活动所做出的思维意识活动。当失去精神统领时，会表现为梦幻及梦游现象。

⑦转味而入出者也：指六腑受纳水谷，化生精微，排泄糟粕的功能活动。

⑧唇四白：口唇四周的白肉。

⑨至阴：至，到达。春夏为阳，秋冬为阴，脾应长夏，由阳而至阴，故称至阴。

素问

五脏生成篇第十（节选）

心之合[①]脉也，其荣[②]色[③]也，其主[④]肾也。肺之合皮也，其荣毛也，其主心也。肝之合筋也，其荣爪也，其主肺也。脾之合肉也，其荣唇也，其主肝也。肾之合骨也，其荣发也，其主脾也。是故多食咸，则脉凝泣[⑤]而变色；多食苦，则皮槁[⑥]而毛拔；多食辛，则筋急而爪枯；多食酸，则肉胝胎[⑦]而唇揭；多食甘，则骨痛而发落。此五味之所伤也。故心欲苦，肺欲辛，肝欲酸，脾欲甘，肾欲咸，此五味之所合也。

注

①合：内外的配合，指与五脏有特殊配合关系的组织。

②荣：表现于外的荣华。

③色：颜面的色泽。

④主：生化之主也，体现“制而生化”之义。

⑤泣（sè）：音义同“涩”。

⑥槁（gǎo）：干枯衰败。

⑦胝胎（zhī zhòu）：即皮肉坚厚皱缩。胝，皮厚的意思。胎，肉皱也。

五脏之气，故色见青如草兹[1]者死，黄如枳实者死，黑如炲[2]者死，赤如衃血[3]者死，白如枯骨者死，此五色之见死也。青如翠羽者生，赤如鸡冠者生，黄如蟹腹者生，白如豕膏[4]者生，黑如乌羽者生，此五色之见生也。生于心，如以缟[5]裹朱[6]；生于肺，如以缟裹红；生于肝，如以缟裹绀；生于脾，如以缟裹栝楼实；生于肾，如以缟裹紫[7]，此五脏所生之外荣也。色味当五脏：白当肺、辛，赤当心、苦，青当肝、酸，黄当脾、甘，黑当肾、咸。故白当皮，赤当脉，青当筋，黄当肉，黑当骨。

注

①草兹：枯死的青草，此指色青而失去润泽。

②炲（tái）：古同“炱（tái）”，烟气凝聚而成的黑灰，俗称“烟子”或“煤子”。

③衃（pēi）血：凝固呈赤黑色的败血。

④豕膏：即猪油。

⑤缟：白色的生绢。

⑥朱：朱砂。

⑦紫：紫色的丝织物。

诸脉者皆属于目[①]，诸髓者皆属于脑，诸筋者皆属于节[②]，诸血者皆属于心，诸气者皆属于肺，此四肢八溪[③]之朝夕[④]也。故人卧血归于肝，肝受血而能视，足受血而能步，掌受血而能握，指受血而能摄[⑤]。

注

①诸脉者皆属于目：目为宗脉聚会之处，故有此说。属，连属、统属。

②诸筋者皆属于节：筋连于骨节肌肉之间，故属于节。节，骨节。

③溪（xī）：手部有肘与腋，足有髋与膝，此四肢之关节，称为溪。

④朝夕：指人体诸脉髓筋血气朝夕运行不止。

⑤摄（shè）：提起，牵引。

素问
五脏别论篇第十一

黄帝问曰：余闻方士[①]，或以脑髓为脏，或以肠胃为脏，或以为腑，敢问更相反，皆自谓是，不知其道，愿闻其说。岐伯对曰：脑、髓、骨、脉、胆、女子胞[②]，此六者地气之所生也，皆藏于阴而象于地，故藏而不泻，名曰奇恒之府[③]。夫胃大肠小肠三焦膀胱，此五者，天气之所生也，其气象天，故泻而不藏，此受五脏浊气，名曰传化之府[④]，此不能久留输泻者也。魄门亦为五脏使[⑤]，水谷不得久藏。所谓五脏者，藏精气而不泻也，故满而不能实。六腑者，传化物而不藏，故实而不能满也。所以然者，水谷入口，则胃实而肠虚；食下，则肠实而胃虚。故曰实而不满，满而不实也。

注

①方士：此指游走四方的医生术士。

②女子胞：亦名胞宫，即子宫。

③奇恒之府：即言异于恒常之腑。奇，异也；恒，常也。

④传化之府：谓传导化物之腑。

⑤魄门亦为五脏使：魄门，即肛门。魄与“粕”通，粕为糟粕之意。以肛门为排泄粪便糟粕之门户，故称魄门。使，使役，支配、制约之意。

帝曰：气口[①]何以独为五脏主？岐伯曰：胃者，水谷之海，六腑之大源也。五味入口，藏于胃以养五脏气，气口亦太阴[②]也。是以五脏六腑之气味，皆出于胃，变见[③]于气口。故五气入鼻，藏于心肺，心肺有病，而鼻为之不利也。凡治病必察其下[④]，适[⑤]其脉，观其志意，与其病也。拘于鬼神者，不可与言至德。恶于针石者，不可与言至巧[⑥]。病不许治者，病必不治，治之无功矣。

注

①气口：又称脉口、寸口，即两手桡骨头内侧桡动脉的诊脉部位。

②太阴：此指足太阴脾。

③见（xiàn）：音义同“现”，作显现解。

④下：指下窍排出的大小便。

⑤适：诊察。

⑥至巧：指针石治疗的技术或技能。巧，技巧、技术。

素问

异法方宜论篇第十二

黄帝问曰：医之治病也，一病而治各不同，皆愈何也？岐伯对曰：地势[①]使然也。故东方之域，天地之所始生也。鱼盐之地，海滨傍水，其民食鱼而嗜咸，皆安其处，美其食。鱼者使人热中[②]，盐者胜血[③]，故其民皆黑色踈理[④]，其病皆为痈疡，其治宜砭石。故砭石者，亦从东方来。西方者，金玉之域，沙石之处，天地之所收引也。其民陵居[⑤]而多风，水土刚强，其民不衣而褐荐[⑥]，其民华食而脂肥，故邪不能伤其形体，其病生于内，其治宜毒药。故毒药者，亦从西方来。

注

①地势：指东南中西北五方的地理形势。

②热中：热积于体内而痈发于体外。

③盐者胜血：多食盐则伤血。从五行关系言，盐味咸，属水。血由心主，属火。故盐胜血，即水胜火。

④疎（shū）理：腠理疏松

⑤陵居：依丘陵而居住。

⑥不衣而褐（hè）荐（jiàn）：不穿绵绸衣服，而穿用兽毛或粗麻制成的粗衣，用草席。

北方者，天地所闭藏之域[①]也。其地高陵居，风寒冰冽，其民乐野处[②]而乳食，脏寒生满病，其治宜灸焫[③]。故灸焫者，亦从北方来。南方者，天地所长养，阳之所盛处也。其地下[④]，水土弱，雾露之所聚也，其民嗜酸而食胕[⑤]，故其民皆致理而赤色，其病挛痹[⑥]，其治宜微针。故九针者，亦从南方来。中央者，其地平以湿，天地所以生万物也众。其民食杂而不劳，故其病多痿厥寒热，其治宜导引按蹻[⑦]。故导引按蹻者，亦从中央出也。故圣人杂合以治[8]，各得其所宜，故治所以异而病皆愈者，得病之情，知治之大体也。

注

①闭藏之域：北方严寒，应冬令闭藏之象，故称闭藏之域。

②野处（chǔ）：居住于旷野之处。处，居住，置身。

③灸焫（ruò）：用艾火烧灼，或火针、火罐治病的方法。

④其地下：指南方地势低下。

⑤胕（fǔ）：指经过发酵的食物，如豉、鲊、曲、酱类食物。

⑥挛（luán）痹：筋脉拘挛，骨节麻痹疼痛类疾病。

⑦导引按蹻（qiáo）：古人用运动肢体，调节呼吸以及按摩等养生保健、治疗疾病的方法。

⑧杂合以治：根据五方病人及其所患疾病不同，综合五方各种治疗手段或方法予以治疗。

素问

移精变气论篇第十三

黄帝问曰：余闻古之治病，惟其移精变气[①]，可祝由[②]而已。今世治病，毒药治其内，针石治其外，或愈或不愈，何也？岐伯对曰：往古人居禽兽之间，动作以避寒[③]，阴居以避暑[④]，内无眷慕之累，外无伸宦[⑤]之形，此恬憺之世，邪不能深入也。故毒药不能治其内，针石不能治其外，故可移精祝由[⑥]而已。当今之世不然，忧患缘其内，苦形伤其外，又失四时之从，逆寒暑之宜，贼风数至，虚邪朝夕，内至五脏骨髓，外伤空窍[⑦]肌肤，所以小病必甚，大病必死，故祝由不能已也。

注

①移精变气：通过精神转移来调节脏腑气机。

②祝由：通过祝祷、解说患病原因，疏通情志以治疗疾病的方法。

③动作以避寒：活动身体以驱散寒气。

④阴居以避暑：居住在阴凉的洞穴以躲避酷暑。

⑤伸宦：追求名利。伸，伸展，此处作追求解。

⑥移精祝由：通过转移病人的精神、祝说患病之由来治疗疾病的方法。

⑦空窍：即孔窍。

帝曰：善。余欲临病人，观死生，决嫌疑[①]，欲知其要，如日月光，可得闻乎？岐伯曰：色脉者，上帝之所贵也，先师之所传也。上古使僦贷季[②]，理色脉而通神明，合之金木水火土四时八风六合[③]，不离其常，变化相移，以观其妙，以知其要，欲知其要，则色脉是矣。色以应日，脉以应月，常求其要，则其要也。夫色之变化，以应四时之脉，此上帝之所贵，以合于神明也，所以远死而近生。生道以长，命曰圣王。中古之治病，至而治之，汤液[4]十日，以去八风五痹[5]之病，十日不已，治以草苏草荄[6]之枝，本末为助，标本已得，邪气乃服。暮世之治病也则不然，治不本四时，不知日月，不审逆从，病形已成，乃欲微针治其外，汤液治其内，粗工凶凶[7]，以为可攻，故病未已，新病复起。

注

①决嫌疑：决断疑难脉证。

②僦（jiù）贷季：古代的医生，相传为岐伯的三世师祖。

③八风六合：八风，为八方之风。六合，指东南西北上下。

④汤液：煎煮之汤液。

⑤五痹：指皮、肌、筋、脉、骨痹五种痹证。

⑥荄：草根。

⑦粗工凶凶：技术不高明的医生，粗率从事，不能详审病情。

帝曰：愿闻要道。岐伯曰：治之要极[1]，无失色脉，用之不惑，治之大则。逆从倒行，标本不得，亡神失国。去故就新，乃得真人[2]。

帝曰：余闻其要于夫子矣，夫子言不离色脉，此余之所知也。岐伯曰：治之极于一。帝曰：何谓一？岐伯曰：一者因得之[3]。帝曰：奈何？岐伯曰：闭户塞牖，系之病者[4]，数问其情，以从其意，得神者昌，失神者亡。帝曰：善。

注

①要极：最重要的意思。极，尽。

②去故就新，乃得真人：丢掉旧的简陋知识，积极钻研新的知识，自然会使自己的医疗技术达到“真人”的水平。

③因得之：病情是由问诊得之的。

④系之病者：密切注视病人。

素问

汤液醪醴论篇第十四

黄帝问曰：为五谷汤液及醪醴[1]奈何？岐伯对曰：必以稻米，炊之稻薪，稻米者完[2]，稻薪者坚[3]。帝曰：何以然？岐伯曰：此得天地之和，高下之宜，故能至完，伐取得时，故能至坚[4]也。帝曰：上古圣人作汤液醪醴，为而不用何也？岐伯曰：自古圣人之作汤液醪醴者，以为备耳，夫上古作汤液，故为而弗服也。中古之世，道德[5]稍衰，邪气时至，服之万全。帝曰：今之世不必已何也？岐伯曰：当今之世，必齐毒药[6]攻其中，镵石针艾治其外也。

注

①醪醴：古代用以治疗疾病的两种剂型之一，其清稀淡薄的为汤液，稠浊甘甜的叫醪醴，都是由五谷制成的酒类。

②完：完美，这里指稻米营养丰富，作用纯正。

③坚：这里指稻薪的性能坚劲。

④伐取得时，故能至坚：稻薪收割于秋，秋气坚劲，故曰至坚。

⑤道德：这里指养生之道。

⑥齐（jì）毒药：即按照一定的配制原则，将性味峻烈的药物组成方剂，用以治疗疾病。齐，同“剂”，即药剂。

帝曰：形弊血尽[1]而功不立[2]者何？岐伯曰：神不使[3]也。帝曰：何谓神不使？岐伯曰：针石，道[4]也。精神不进，志意不治，故病不可愈。今精坏神去，荣卫不可复收。何者？嗜欲无穷，而忧患不止，精气弛坏，荣泣卫除[5]，故神去之而病不愈也。帝曰：夫病之始生也，极微极精[6]，必先入结于皮肤。今良工皆称曰：病成名曰逆，则针石不能治，良药不能及也。今良工皆得其法，守其数[7]，亲戚兄弟远近音声日闻于耳，五色日见于目，而病不愈者，亦何暇不早乎？岐伯曰：病为本，工为标[8]，标本不得[9]，邪气不服，此之谓也。

注

①形弊血尽：形体败坏，血气竭尽。弊，通"敝"，衰败之意。

②功不立：治疗无效。

③神不使：即神机丧失，不能对各种治疗做出反应，无法使针、药等治疗措施发挥作用。

④道：指治疗手段与方法。

⑤荣泣（sè）卫除：营气运行凝涩，卫气丧失了正常功能。泣，音义同"涩"。

⑥极微极精：言疾病初期轻浅单纯。微，轻浅未深。精，专一未乱。

⑦得其法，守其数：好医生诊治疾病皆掌握治病法则与技术。数，技术。

⑧病为本，工为标：指病人为本、疾病为本，医生及其治疗为标。

⑨标本不得：指在治疗过程中病人与医生不合作。

帝曰：其有不从毫毛而生，五脏阳以竭也，津液充郭[1]，其魄独居，精孤于内[2]，气耗于外[3]，形不可与衣相保，此四极[4]急而动中，是气拒于内，而形施于外[5]，治之奈何？岐伯曰：平治于权衡，去宛陈莝[6]，微动四极，温衣，缪刺其处，以复其形。开鬼门，洁净府[7]，精以时服，五阳已布，疎涤五脏，故精自生，形自盛，骨肉相保，巨气[8]乃平。帝曰：善。

注

①津液充郭：指水气充满于肌肤。

②精孤于内：水液无气以化而停留，是精中无气。

③气耗于外：水肿为阴盛阳虚，阴愈盛则阳愈虚，阳气虚少，故气耗于外。

④四极：四肢。

⑤形施（yì）于外：施，易，变易。水肿的病人，形体因浮肿改变于外。

⑥去宛陈莝（cuò）：除掉郁积的水气。

⑦开鬼门，洁净府：发汗和利小便。

⑧巨气：正气。

素问

脉要精微论篇第十七（节选）

黄帝问曰：诊法何如？岐伯对曰：诊法常以平旦[①]，阴气未动，阳气未散，饮食未进，经脉未盛，络脉调匀，气血未乱，故乃可诊有过之脉。切脉动静而视精明[②]，察五色，观五脏有余不足，六腑强弱，形之盛衰，以此参伍[③]，决死生之分。

夫脉者，血之府也[④]，长则气治，短则气病[⑤]，数则烦心，大则病进[⑥]，上盛则气高，下盛则气胀，代则气衰[⑦]，细则气少，涩则心痛[⑧]，浑浑革至如涌泉，病进而色弊，绵绵其去如弦绝，死。

注

①平旦：清晨。

②精明：眼睛。

③参伍：异同对比的意思。

④脉者，血之府也：经脉为血液会聚之处。

⑤长则气治，短则气病：脉应指而长，超过本位，则气血平和无病；脉应指而短，不及本位，属气血不足之病。长、短指脉体。

⑥大则病进：脉象满指而大，表示邪气方张，病情正在向前进展。

⑦代则气衰，细则气少：代，代脉，指脉来缓弱而有规则的间歇，主脏气衰弱。细，细脉，脉细如丝，主诸虚劳损，血气衰少。

⑧涩则心痛：脉涩主气血虚少、运行涩滞，心主血，故现心痛之证。

夫精明五色[1]者，气之华[2]也。赤欲如白裹朱[3]，不欲如赭[4]；白欲如鹅羽，不欲如盐；青欲如苍璧[5]之泽，不欲如蓝[6]；黄欲如罗[7]裹雄黄，不欲如黄土；黑欲如重漆[8]色，不欲如地苍[9]。五色精微象见[10]矣，其寿不久也。夫精明者，所以视万物，别白黑，审短长。以长为短，以白为黑，如是则精衰矣。

注

①精明五色：眼神和面之五色。

②气之华：五脏之气透露于外的征象。

③白裹朱：白通“帛”，白色的丝织物。朱，朱砂。

④赭：代赭石，其色赤灰暗不泽。

⑤苍壁：青色的玉石。

⑥蓝：蓝草，可作靛青。

⑦罗：丝织品，软而细密。

⑧重（chóng）漆：漆器反复上漆，黑而深亮。

⑨地苍：黑而枯槁之意。

⑩五色精微象见（xiàn）：指五脏之真色显露于外，已无藏蓄，是一种凶兆。

五脏者，中之守[①]也。中盛脏满，气胜伤恐者，声如从室中言，是中气之湿也；言而微，终日乃复言者，此夺气也；衣被不敛，言语善恶，不避亲疏者，此神明之乱也；仓廪不藏者，是门户不要[②]也；水泉不止[③]者，是膀胱不藏也。得守者生，失守者死。

注

①五脏者，中之守：中，里；守，职守。五脏主藏精神，各有一定职守。
②门户不要：门户，指肛门；要，约束。泄利不禁。
③水泉不止：即小便不禁。

夫五脏者，身之强也[①]。头者精明之府，头倾视深[②]，精神将夺矣；背者胸中之府[③]，背曲肩随[④]，府将坏矣；腰者肾之府，转摇不能，肾将惫[⑤]矣；膝者筋之府，屈伸不能，行则偻附[⑥]，筋将惫矣；骨者髓之府，不能久立，行则振掉[⑦]，骨将惫矣。得强则生，失强则死。

注

①五脏者，身之强也：五脏是身形强健的基础。
②头倾视深：头低垂不能举，目下陷而无光。
③背者胸中之府：心肺居于胸中，而俞在肩背，故背为胸中之府。背，指胸背部。
④背曲肩随：背曲不能伸，肩垂不能举。随，同“垂”。
⑤惫（bèi）：坏也，衰败之意。
⑥偻附：身体屈曲不伸，行动不便，需依附他物而行。
⑦振掉：震颤，摇摆。

帝曰：脉其四时动奈何？知病之所在奈何？知病之所变奈何？知病乍在内奈何？知病乍在外奈何？请问此五者，可得闻乎？岐伯曰：请言其与天运转①大也。万物之外，六合之内②，天地之变，阴阳之应，彼春之暖，为夏之暑，彼秋之忿，为冬之怒③，四变之动，脉与之上下④，以春应中规，夏应中矩，秋应中衡，冬应中权⑤。是故冬至四十五日，阳气微上，阴气微下；夏至四十五日，阴气微上，阳气微下。阴阳有时，与脉为期，期而相失，知脉所分，分之有期，故知死时。微妙在脉，不可不察，察之有纪，从阴阳始⑥，始之有经，从五行生，生之有度，四时为宜，补泻勿失，与天地如一⑦，得一之情，以知死生。是故声合五音，色合五行，脉合阴阳。

注

①其与天运转：指人体气机的运动变化，应合于天气阴阳运转变化的情况。

②万物之外，六合之内：泛指天地之间。

③彼秋之忿，为冬之怒：由秋气之劲急，变为冬气之寒杀。

④脉与之上下：脉随四时阴阳的变化而浮沉。

⑤春应中规，夏应中矩，秋应中衡，冬应中权：规、矩、权、衡是形容四季脉象的变化。

⑥察之有纪，从阴阳始：指诊察脉象有一个纲纪，即先从辨别阴阳开始。

⑦补泻勿失，与天地如一：补泻的治疗方法不能用错，才能促使人体的阴阳恢复一致。

是知阴盛则梦涉大水恐惧，阳盛则梦大火燔灼[①]。阴阳俱盛则梦相杀毁伤；上盛则梦飞，下盛则梦堕[②]；甚饱则梦予[③]，甚饥则梦取；肝气盛则梦怒，肺气盛则梦哭；短虫[④]多则梦聚众，长虫[⑤]多则梦相击毁伤。是故持脉有道，虚静为保[⑥]。春日浮，如鱼之游在波；夏日在肤，泛泛乎万物有余；秋日下肤，蛰虫将去；冬日在骨，蛰虫周密，君子居室。故曰：知内者按而纪之，知外者终而始之。此六者，持脉之大法。

注

①燔（fán）灼：焚烧。

②堕（duò）：从高处跌下。

③予：赐予，给予。

④短虫：指蛲虫。

⑤长（cháng）虫：指蛔虫。

⑥是故持脉有道，虚静为保：虚，指医者诊脉之心态。静，言诊脉环境，排除干扰。

素问

玉机真脏论篇第十九（节选）

黄帝曰：余闻虚实以决死生，愿闻其情。岐伯曰：五实[①]死，五虚[②]死。帝曰：愿闻五实五虚。岐伯曰：脉盛，皮热，腹胀，前后[③]不通，闷瞀[④]，此谓五实。脉细，皮寒，气少，泄利前后，饮食不入，此谓五虚。帝曰：其时有生者何也？岐伯曰：浆粥入胃，泄注止，则虚者活；身汗得后利[⑤]，则实者活。此其候也。

注

①五实：指邪气壅滞于五脏的实证。

②五虚：指五脏之气不足的虚证。

③前后：指大小便。

④闷瞀（mào）：昏闷烦乱而视物不明。

⑤后利：二便通利。

素问

经脉别论篇第二十一（节选）

黄帝问曰：人之居处动静勇怯[1]，脉[2]亦为之变乎？岐伯对曰：凡人之惊恐恚[3]劳动静，皆为变也。是以夜行则喘出于肾，淫气病肺。有所堕恐，喘出于肝，淫气害脾。有所惊恐，喘出于肺，淫气伤心。度[4]水跌仆，喘出于肾与骨，当是之时，勇者气行则已[5]，怯者则着而为病也。故曰：诊病之道，观人勇怯骨肉皮肤，能知其情，以为诊法也。

故饮食饱甚，汗出于胃。惊而夺精[6]，汗出于心。持重远行，汗出于肾。疾走恐惧，汗出于肝。摇体[7]劳苦，汗出于脾。故春秋冬夏，四时阴阳，生病起于过用，此为常也。

注

①居处动静勇怯：居处，指生活环境；动静，指作息劳逸；勇怯，借指体质强弱。
②脉：脉象。
③恚（huì）：恼怒。
④度：通“渡”。
⑤已：止也，此指不发病。
⑥夺精：即耗损精气。
⑦摇体：指辛勤用力劳作，劳力过度的意思。

食气入胃，散精于肝，淫[1]气于筋。食气入胃，浊气[2]归心，淫精于脉。脉气流经，经气归于肺，肺朝百脉[3]，输精于皮毛。毛脉合精[4]，行气于府[5]。府精神明[6]，留于四脏，气归于权衡。权衡以平，气口[7]成寸，以决死生。饮入于胃，游溢精气，上输于脾。脾气散精，上归于肺，通调水道，下输膀胱。水精[8]四布，五经[9]并行，合于四时五脏阴阳，揆度[10]以为常也。

注

①淫：浸润满溢。此处引申为滋养濡润之意。

②浊气：此指稠浊之精气。

③肺朝百脉：肺主气，为十二经之首，周身经脉皆朝会于肺，气血运行于诸经，皆赖肺气之推动。

④毛脉合精：肺主皮毛，心主血脉；肺主气，心主血。毛脉合精，即气血相合。

⑤府：此指经脉。

⑥府精神明：指经脉中的精气运行正常不乱之意。

⑦气口：即寸口，又叫脉口。

⑧水精：泛指水谷化生的精微物质，即气、血、津、液等。

⑨五经：五脏之经脉，此泛指全身经脉。

⑩揆（kuí）度：揣度，估量。

素问

脏气法时论篇第二十二（节选）

肝色青，宜食甘，粳米[1]牛肉枣葵皆甘。心色赤，宜食酸，小豆犬肉李韭皆酸。肺色白，宜食苦，麦羊肉杏薤[2]皆苦。脾色黄，宜食咸，大豆豕肉栗藿[3]皆咸。肾色黑，宜食辛，黄黍[4]鸡肉桃葱皆辛。辛散，酸收，甘缓，苦坚，咸软。毒药攻邪，五谷[5]为养，五果[6]为助，五畜[7]为益，五菜[8]为充，气味合而服之，以补精益气。此五者，有辛酸甘苦咸，各有所利，或散或收，或缓或急，或坚或软，四时五脏，病随五味所宜也。

注

①粳（jīng）米：稻之不黏者。今指一种介于籼（xiān）稻、糯稻之间的晚稻品种，米粒短而粗，米质黏性较强，胀性小。

②薤（xiè）：多年生草本植物，地下有圆锥形鳞茎，新鲜鳞茎可作蔬菜，干燥鳞茎可入药。

③藿（huò）：豆叶，嫩时可食。

④黍（shǔ）：植物名。古代专指一种子实称黍子的一年生草本作物。子实淡黄色者，去皮后称黄米，性黏，可酿酒。其不黏者，别名穄（jì），亦称稷，可做饭。

⑤五谷：即粳米、小豆、麦、大豆、黄黍，泛指粮食类。

⑥五果：即桃、李、杏、栗、枣，泛指多种水果和干果。

⑦五畜：即牛、羊、豕、犬、鸡，泛指多种家禽及家畜。

⑧五菜：即葵、藿、薤、葱、韭，泛指多种蔬菜。

素问

宣明五气篇第二十三（节选）

五味所入：酸入肝，辛入肺，苦入心，咸入肾，甘入脾，是谓五入。

五味所禁[①]：辛走气，气病无多食辛；咸走血，血病无多食咸；苦走骨，骨病无多食苦；甘走肉，肉病无多食甘；酸走筋，筋病无多食酸。是谓五禁，无令多食。

五劳所伤[②]：久视伤血，久卧伤气，久坐伤肉，久立伤骨，久行伤筋。是谓五劳所伤。

注

①五味所禁：指五味各自有所禁忌。

②五劳所伤：泛指各种过度劳作对五脏之气的损害。

素问

宝命全形论篇第二十五（节选）

黄帝问曰：天复地载，万物悉备，莫贵于人，人以天地之气生，四时之法成，君王众庶[①]，尽欲全形，形之疾病，莫知其情，留淫日深，著于骨髓，心私虑之。余欲针除其疾病，为之奈何？岐伯对曰：夫盐之味咸者，其气令器津泄[②]；弦绝者，其音嘶败；木敷[③]者，其叶发；病深者，其声哕[④]。

注

①众庶：指老百姓。

②令器津泄：器，容器。津泄，水液外泄。

③敷：别本作“陈”，枯老之意。

④哕（yuě）：打呃。

素问

八正神明论篇第二十六（节选）

黄帝问曰：用针之服，必有法则焉，今何法何则？岐伯对曰：法天则地，合以天光。帝曰：愿卒闻之。岐伯曰：凡刺之法，必候日月星辰，四时八正之气，气定乃刺之。是故天温日明，则人血淖液而卫气浮，故血易泻，气易行；天寒日阴，则人血凝泣而卫气沉。月始生，则血气始精[1]，卫气始行；月郭[2]满，则血气实，肌肉坚；月郭空，则肌肉减，经络虚，卫气去，形独居。

注

①血气始精：血气运行流利的意思。

②月郭：即月亮的轮廓。

是以因天时而调血气也。是以天寒无刺，天温无疑。月生无泻，月满无补，月郭空无治，是谓得时而调之。因天之序，盛虚之时，移光定位，正立而待之[①]。故曰月生而泻，是谓脏虚，月满而补，血气扬溢[②]，络有留血，命曰重实；月郭空而治，是谓乱经。阴阳相错，真邪不别，沉以留止，外虚内乱[③]，淫邪乃起。

注

①移光定位，正立而待之：观察日光的迁移和月之盈亏，以测定岁时。

②扬溢：盛满的意思。

③外虚内乱：指外部因卫气不足而经络空虚，内部因邪气相搏而正气紊乱。

素问

太阴阳明论篇第二十九

黄帝问曰：太阴阳明为表里，脾胃脉也，生病而异者何也？岐伯对曰：阴阳异位[1]，更虚更实[2]，更逆更从[3]，或从内，或从外，所从不同，故病异名也。帝曰：愿闻其异状也。岐伯曰：阳者，天气也，主外；阴者，地气也，主内。故阳道实，阴道虚[4]。故犯贼风虚邪者，阳受之；食饮不节起居不时者，阴受之。阳受之则入六腑，阴受之则入五脏。入六腑则身热不时卧[5]，上为喘呼；入五脏则䐜满闭塞，下为飧泄，久为肠澼。

注

①阴阳异位：脾为脏，为阴，胃为腑，为阳。阳主外，阴主内，阳主上，阴主下，所以称为阴阳异位。

②更虚更实：春夏阳明为实，太阴为虚；秋冬太阴为实，阳明为虚，也就是更虚实。

③更逆更从：春夏太阴为逆，阳明为顺；秋冬阳明为逆，太阴为顺，所以为更逆从。

④阳道实，阴道虚：阳刚阴柔，外邪多有余，所以阳道实，内伤多不足，故阴道虚。

⑤不时卧：不得眠的意思。

故喉主天气，咽主地气[①]。故阳受风气，阴受湿气。故阴气从足上行至头，而下行循臂至指端；阳气从手上行至头，而下行至足。故曰阳病者上行极而下，阴病者下行极而上。故伤于风者，上先受之；伤于湿者，下先受之。帝曰：脾病而四肢不用何也？岐伯曰：四肢皆禀气于胃，而不得至经，必因于脾，乃得禀[②]也。今脾病不能为胃行其津液，四肢不得禀水谷气，气日以衰，脉道不利，筋骨肌肉，皆无气以生，故不用焉。

注

①喉主天气，咽主地气：喉呼吸天阳之气，故主天气；咽主受纳水谷之气，故咽主地气。

②禀：承受。

帝曰：脾不主时何也？岐伯曰：脾者土也，治中央，常以四时长四脏，各十八日寄治，不得独主于时[①]也。脾脏者常著胃土之精也，土者生万物而法天地，故上下至头足，不得主时也。帝曰：脾与胃以膜相连耳，而能为之行其津液何也？岐伯曰：足太阴者三阴[②]也，其脉贯胃属脾络嗌，故太阴为之行气于三阴[③]。阳明者表也，五脏六腑之海也，亦为之行气于三阳[④]。脏腑各因其经[⑤]而受气于阳明，故为胃行其津液。四肢不得禀水谷气，日以益衰，阴道不利，筋骨肌肉无气以生，故不用焉。

注

①不得独主于时：脾不主于一时，而四时皆主。

②足太阴者三阴：三阴指太阴。

③太阴为之行气于三阴：之，胃。脾为胃行气于三阴，就是输送阳明胃气入于太阴、少阴、厥阴三阴。

④亦为之行气于三阳：虽阳明行气于三阳，也依赖脾气而后行。

⑤其经：足太阴脾经。

素问

热论篇第三十一（节选）

帝曰：热病已愈，时有所遗[①]者何也？岐伯曰：诸遗者，热甚而强食之，故有所遗也。若此者，皆病已衰而热有所藏，因其谷气相薄，两热相合[②]，故有所遗也。帝曰：善。治遗奈何？岐伯曰：视其虚实，调其逆从[③]，可使必已矣。帝曰：病热当何禁之？岐伯曰：病热少愈，食肉则复，多食则遗[④]，此其禁也。

注

①遗：病邪遗留余热。

②两热相合：病之余热，与新谷食之热相合。

③视其虚实，调其逆从：诊察病人经脉的虚实，然后根据其虚实进行补泻，以调治其阴阳的逆从。

④食肉则复，多食则遗：复，热病复发；遗，遗留热邪。

素问

咳论篇第三十八

黄帝问曰：肺之令人咳[①]何也？岐伯对曰：五脏六腑皆令人咳[②]，非独肺也。帝曰：愿闻其状。岐伯曰：皮毛者肺之合[③]也，皮毛先受邪气，邪气以从其合也。其寒饮食入胃，从肺脉上至于肺[④]则肺寒，肺寒则外内合邪[⑤]因而客之，则为肺咳。五脏各以其时[⑥]受病，非其时各传以与之。人与天地相参，故五脏各以治时[⑦]感于寒则受病，微则为咳，甚者为泄为痛。乘秋则肺先受邪，乘春则肝先受之，乘夏则心先受之，乘至阴[⑧]则脾先受之，乘冬则肾先受之。

注

①肺之令人咳：指咳是肺的主要病证。

②五脏六腑皆令人咳：五脏六腑病变均可影响肺而致咳。

③合：此指与五脏有密切关系的体表组织。

④从肺脉上至于肺：肺脉起于中焦，下络大肠，还循胃口，上膈属肺，故寒饮寒食入胃，寒气可循肺脉上入肺中。

⑤外内合邪：即内外寒邪相合。外，指外感寒邪；内，指内伤寒饮。

⑥其时：指五脏分别主管的时令，如肝主春，心主夏等。

⑦治时：此指五脏在一年中分别主管的时令。治，主也。

⑧至阴：即长夏。

帝曰：何以异之？岐伯曰：肺咳之状，咳而喘息有音，甚则唾血①。心咳之状，咳则心痛，喉中介介②如梗状，甚则咽肿喉痹③。肝咳之状，咳则两胁下痛，甚则不可以转，转则两胠④下满。脾咳之状，咳则右胁下痛，阴阴⑤引肩背，甚则不可以动，动则咳剧。肾咳之状，咳则腰背相引而痛，甚则咳涎⑥。帝曰：六腑之咳奈何？安所受病？岐伯曰：五脏之久咳，乃移于六腑。脾咳不已，则胃受之，胃咳之状，咳而呕，呕甚则长虫[7]出。肝咳不已，则胆受之，胆咳之状，咳呕胆汁。肺咳不已，则大肠受之，大肠咳状，咳而遗失[8]。心咳不已，则小肠受之，小肠咳状，咳而失气，气与咳俱失。肾咳不已，则膀胱受之，膀胱咳状，咳而遗溺。久咳不已，则三焦受之，三焦咳状，咳而腹满，不欲食饮。此皆聚于胃，关于肺[9]，使人多涕唾而面浮肿气逆也。帝曰：治之奈何？岐伯曰：治脏者治其俞，治腑者治其合，浮肿者治其经[10]。帝曰：善。

注

①唾血：即咳血，指痰中带血。

②介介：分隔、梗阻之意。

③喉痹：指咽喉肿痛，阻塞不畅，使言语不利、饮食难下。

④两胠（qū）：即腋下胁肋部位。

⑤阴阴：即隐隐之意。

⑥咳涎：指咳出涎沫稀痰。

⑦长虫：即蛔虫。

⑧遗失：即大便失禁。

⑨此皆聚于胃，关于肺：指虽五脏六腑皆令人咳，但与肺、胃两脏之关系最为密切。

⑩俞、合、经：是人体五俞穴的组成部分，是十二经脉分布在四肢、肘膝关节以下的特定穴。

素问

举痛论篇第三十九（节选）

黄帝问曰：余闻善言天者，必有验于人；善言古者，必有合于今；善言人者，必有厌[1]于己。如此，则道不惑而要数极，所谓明也。今余问于夫子，令言而可知，视而可见，扪[2]而可得，令验于己而发蒙解惑[3]，可得而闻乎？岐伯再拜稽首[4]对曰：何道之问也？帝曰：愿闻人之五脏卒[5]痛，何气使然？岐伯对曰：经脉流行不止，环周不休，寒气入经而稽迟[6]，泣[7]而不行，客于脉外则血少，客于脉中则气不通，故卒然而痛。

注

①厌：适合。

②扪（mén）：抚按，指今之触诊。

③发蒙解惑：启发蒙昧，解除疑惑。

④稽首：古代跪拜礼。

⑤卒（cù）：突然。

⑥稽迟：即留止而不行的意思。

⑦泣（sè）：音义并通涩。

素问

腹中论篇第四十（节选）

黄帝问曰：有病心腹满，旦食则不能暮食，此为何病？岐伯对曰：名为鼓胀[①]。帝曰：治之奈何？岐伯曰：治之以鸡矢醴[②]，一剂知，二剂已。帝曰：其时有复发者何也？岐伯曰：此饮食不节，故时有病也。虽然其病且已，时故当病，气聚于腹也。帝曰：有病胸胁支满者，妨于食，病至则先闻腥臊臭，出清液，先唾血，四肢清，目眩，时时前后血，病名为何？何以得之？岐伯曰：病名血枯[③]，此得之年少时，有所大脱血，若醉入房中，气竭肝伤，故月事衰少不来也。帝曰：治之奈何？复以何术？岐伯曰：以四乌鲗骨[4]一藘茹[5]二物并合之，丸以雀卵，大如小豆，以五丸为后饭，饮以鲍鱼汁，利肠中及伤肝也。

注

①鼓胀：病名，其症心腹胀满，其形如鼓。

②鸡矢醴：治疗鼓胀的药酒方。以鸡矢白晒干、焙干后，用米酒煎汤而成。

③血枯：病名，月经断绝之病。

④乌鲗骨：即乌贼骨。

⑤藘茹：即茜草。

素问

痹论篇第四十三（节选）

黄帝问曰：痹之安生[1]？岐伯对曰：风寒湿三气杂至[2]，合而为痹也。其风气胜者为行痹[3]，寒气胜者为痛痹[4]，湿气胜者为著痹[5]也。帝曰：其有五者何也？岐伯曰：以冬遇此者为骨痹，以春遇此者为筋痹，以夏遇此者为脉痹，以至阴遇此者为肌痹，以秋遇此者为皮痹。帝曰：内舍[6]五脏六腑，何气使然？岐伯曰：五脏皆有合，病久而不去者，内舍于其合也。故骨痹不已，复感于邪，内舍于肾。筋痹不已，复感于邪，内舍于肝。脉痹不已，复感于邪，内舍于心。肌痹不已，复感于邪，内舍于脾。皮痹不已，复感于邪，内舍于肺。所谓痹者，各以其时重感于风寒湿之气也。

注

①安生：即怎样发生。

②杂至：错杂而至。

③行痹：感受痹邪以风为主，临床以酸痛、游走无定处为特点的痹证，亦称风痹。

④痛痹：感受痹邪以寒为主，临床以疼痛剧烈、痛有定处为特点的痹证，亦称寒痹。

⑤著痹：感受痹邪以湿为主，临床以痛处重滞固定，或顽麻不仁为特点的痹证，亦称湿痹。

⑥内舍：病邪深居于内部的意思。

素问

病能论篇第四十六（节选）

帝曰：善。有病身热解墯，汗出如浴，恶风少气，此为何病？岐伯曰：病名曰酒风①。帝曰：治之奈何？岐伯曰：以泽泻、术各十分，麋衔②五分，合以三指撮③为后饭。

注

①酒风：即漏风。
②麋衔：一名薇衔，即鹿衔草。
③三指撮：用三个手指头撮药末，用以计算药量。

素问

奇病论篇第四十七（节选）

黄帝问曰：人有重身[①]，九月而喑[②]，此为何也？岐伯对曰：胞之络脉绝[③]也。帝曰：何以言之？岐伯曰：胞络者系于肾，少阴之脉[④]，贯肾系舌本，故不能言。帝曰：治之奈何？岐伯曰：无治也，当十月复[⑤]。

帝曰：有病口甘[⑥]者，病名为何？何以得之？岐伯曰：此五气之溢也，名曰脾瘅[⑦]。夫五味入口，藏于胃，脾为之行其精气，津液在脾，故令人口甘也，此肥美之所发也，此人必数食甘美而多肥也，肥者令人内热，甘者令人中满，故其气上溢，转为消渴。治之以兰，除陈气也。

帝曰：有病口苦，取阳陵泉，口苦者病名为何？何以得之？岐伯曰：病名曰胆瘅[8]。夫肝者，中之将也，取决于胆，咽为之使。此人者，数谋虑不决，故胆虚气上溢而口为之苦，治之以胆募俞，治在《阴阳十二官相使》中。

帝曰：人生而有病颠疾[9]者，病名曰何？安所得之？岐伯曰：病名为胎病，此得之在母腹中时，其母有所大惊，气上而不下，精气并居[10]，故令子发为颠疾也。

注

①重（zhòng）身：指妇女妊娠。
②喑（yīn）：音哑，不能说出声。
③绝：不通。
④少阴之脉：足少阴肾经。
⑤复：恢复正常。
⑥口甘：嘴中发甜。
⑦脾瘅：病名。指因过食肥甘，以口中发甜为主症的疾病，往往能发展为消渴病。
⑧胆瘅：因胆热上溢导致的病证。
⑨颠疾：颠，同“癫”，即癫痫病。
⑩精：人体精气。气：指大惊而逆乱之气。并居：夹杂。

素问

刺禁论篇第五十二（节选）

黄帝问曰：愿闻禁数①。岐伯对曰：脏有要害，不可不察，肝生于左，肺藏于右②，心部于表，肾治于里③，脾为之使，胃为之市④。鬲肓之上，中有父母⑤，七节之傍，中有小心⑥，从之有福，逆之有咎。

注

①禁数：指禁止针刺的部位有多少。

②肝生于左，肺藏于右：肝主春生之气，应于东方，东方为左，所以肝生于左；同理，肺主秋收之气，应于西方，西方为右，所以肺藏于右。

③心部于表，肾治于里：心为阳脏而主火，火性炎上，故心气分布于表；肾为阴脏而主水，水性寒凝，故肾气主治于里。

④脾为之使，胃为之市：脾为胃行其津液，以灌四旁，故脾为之使；胃为水谷之海，众物所聚，故胃为之市。

⑤父母：指心、肺两脏。

⑥小心：这里指肾脏。

刺中心，一日死，其动为噫。刺中肝，五日死，其动为语。刺中肾，六日死，其动为嚏。刺中肺，三日死，其动为咳。刺中脾，十日死，其动为吞。刺中胆，一日半死，其动为呕。刺跗上[①]中大脉，血出不止死。刺面中溜脉[②]，不幸为盲。刺头中脑户[③]，入脑立死。刺舌下[④]中脉太过，血出不止为喑。刺足下布络中脉，血不出为肿。刺郄中大脉，令人仆脱色。刺气街中脉，血不出，为肿鼠仆[⑤]。刺脊间中髓，为伛。刺乳上，中乳房，为肿根蚀[⑥]。刺缺盆中内陷，气泄，令人喘咳逆。刺手鱼腹内陷，为肿。无刺大醉，令人气乱。无刺大怒，令人气逆。无刺大劳人，无刺新饱人，无刺大饥人，无刺大渴人，无刺大惊人。

注

①跗上：足背。

②溜脉：指与眼睛相流通的经脉。

③脑户：穴位名，位于枕骨上，后发际正中直上2.5寸。

④舌下：即廉泉穴。

⑤鼠仆：指腹股沟。

⑥根蚀：根，乳根，指乳房内部；蚀，腐蚀的意思。

素问

调经论篇第六十二（节选）

夫阴与阳皆有俞会，阳注于阴，阴满之外，阴阳匀平，以充其形，九候若一，命曰平人。夫邪之生也，或生于阴，或生于阳[①]。其生于阳者，得之风雨寒暑。其生于阴者，得之饮食居处，阴阳喜怒[②]。

注

①或生于阴，或生于阳：阴为内，阳为外，故生于阴即内伤，生于阳即外感。

②阴阳喜怒：阴阳，指男女房室。喜怒，代指七情。

素问

至真要大论篇第七十四（节选）

岐伯曰：司岁备物[①]，则无遗主矣。帝曰：先岁物何也？岐伯曰：天地之专精[②]也。帝曰：司气者何如？岐伯曰：司气者主岁同，然有余不足[③]也。帝曰：非司岁物何谓也？岐伯曰：散也，故质同而异等[④]也，气味有薄厚，性用有躁静，治保有多少[⑤]，力化有浅深[⑥]，此之谓也。

注

①司岁备物：即根据每年司岁之气采备药物，目的在于取药物性味之专长。

②天地之专精：药材得司天、在泉之气而生长茂盛，气味浓，药力强，故说得到天地专精之气的充养。

③司气者主岁同，然有余不足：即司岁气与司岁运的药材相同，但有太过和不及的区别。

④散也，故质同而异等：非司岁的药物，其气散而药力不专，药材形质相同但药性有差异。

⑤治保有多少：药物用于治病保真的作用，有多少的差异。

⑥力化有浅深：药力、药效有大小的差异。

帝曰：善。夫百病之生也，皆生于风寒暑湿燥火，以之化之变也。经言盛者泻之，虚者补之，余锡[1]以方士，而方士用之尚未能十全，余欲令要道必行，桴鼓相应[2]，犹拔刺雪污，工巧神圣[3]，可得闻乎？岐伯曰：审察病机，无失气宜，此之谓也。

注

①锡：同“赐”，即赏赐，引申为“给”。

②桴（fú）鼓相应：鼓槌与鼓。比喻相应迅速。

③工巧神圣：意为通过四诊就能全面掌握病情，喻指医生四诊技术极为高明。

帝曰：愿闻病机[1]何如？岐伯曰：诸风掉眩[2]，皆属于肝。诸寒收引[3]，皆属于肾。诸气膹郁[4]，皆属于肺。诸湿肿满[5]，皆属于脾。诸热瞀瘛[6]，皆属于火。诸痛痒疮，皆属于心。诸厥固泄[7]，皆属于下。诸痿喘呕，皆属于上。诸禁鼓栗[8]，如丧神守，皆属于火。诸痉项强[9]，皆属于湿。

注

①病机：病变之机要、关键。

②掉眩：掉，肢体不由自主地动摇或震颤。眩，即眩晕，头目眩晕、视物旋转、站立不稳。

③收引：指肢体蜷缩、屈曲不伸的症状。收，收缩。引，牵引、拘急。

④膹（fèn）郁：此指气逆喘急，胸部胀闷的症状。

⑤肿满：即肌肤肿胀，腹部胀满。

⑥瞀瘛：瞀，昏糊也；瘛，抽搐也。

⑦厥固泄：厥，指手足逆冷或手足心发热的厥证。固，指二便固闭不通；泄，指二便泄利不禁。

⑧禁鼓栗：禁，通“噤”，口噤不开。鼓栗，鼓颔战栗，形容恶寒之甚。

⑨痉项强：痉，病名，症见牙关紧闭、项背强急、角弓反张。项强，项部强硬不舒，转动困难。

诸逆冲上[1]，皆属于火。诸胀腹大[2]，皆属于热。诸躁狂越[3]，皆属于火。诸暴强直[4]，皆属于风。诸病有声，鼓之如鼓[5]，皆属于热。诸病胕肿[6]，疼酸惊骇，皆属于火。诸转反戾[7]，水液[8]浑浊，皆属于热。诸病水液，澄彻清冷[9]，皆属于寒。诸呕吐酸，暴注下迫，皆属于热。故大要曰：谨守病机，各司其属，有者求之，无者求之，盛者责之，虚者责之，必先五胜[10]，疏其血气，令其调达，而致和平。此之谓也。

注

①诸逆冲上：各种气机急促上逆的症状，如急性呕吐、吐血、呃逆等。

②胀腹大：指腹部膨满胀大。

③躁狂越：躁，手足躁扰，坐卧不宁。狂，神志狂乱。越，言行举止乖乱失常。

④暴强直：暴，猝然。强直，筋脉拘挛，身体强直不能屈伸。

⑤病有声，鼓之如鼓：病有声，指因病发出声响的症状，如肠鸣、嗳气之类发出声响的病症。鼓之如鼓，腹胀敲之如鼓响。

⑥胕肿：皮肉肿胀溃烂。胕，同“腐”。

⑦转反戾：指筋脉拘挛所致的多种症状。转，身体

左右扭转。反，角弓反张。戾，身曲不直，如犬出户下。

⑧水液：指由体内排出的各种液体。

⑨澄澈清冷：形容水液清稀透明而寒凉。

⑩五胜：本指天之五运五行之气更为胜气，亦可以引申为联系五脏之气更胜的关系。

素问

方盛衰论篇第八十（节选）

是以肺气虚则使人梦见白物，见人斩血借借[1]，得其时则梦见兵战。肾气虚则使人梦见舟船溺人[2]，得其时则梦伏水中，若有畏恐。肝气虚则梦见菌香生草，得其时则梦伏树下不敢起。心气虚则梦救火阳物，得其时则梦燔灼[3]。脾气虚则梦饮食不足，得其时则梦筑垣盖屋。此皆五脏气虚，阳气有余，阴气不足，合之五诊，调之阴阳，以在《经脉》。

注

①借借：杂乱众多的意思。

②溺人：溺水之人。

③燔灼：燃烧。

灵枢

九针十二原第一（节选）

今夫五脏之有疾也，譬[①]犹刺也，犹污也，犹结也，犹闭[②]也。刺虽久犹可拔也，污虽久犹可雪也，结虽久犹可解也，闭虽久犹可决[③]也。或言久疾之不可取者，非其说也。夫善用针者，取[④]其疾也，犹拔刺也，犹雪污也，犹解结也，犹决闭也。疾虽久，犹可毕[⑤]也。言不可治者，未得其术也。

注

①譬（pì）：比如。

②闭：壅塞不通。

③决：排除壅塞，疏通水道。

④取：治疗之意。

⑤毕：治愈之意。

灵枢

邪气脏腑病形第四（节选）

黄帝问于岐伯曰：邪气[①]之中人也奈何？岐伯答曰：邪气之中人高也。黄帝曰：高下有度乎？岐伯曰：身半以上者，邪中之也；身半以下者，湿中之也。故曰：邪之中人也，无有常，中于阴则溜于府，中于阳则溜于经。黄帝曰：阴之与阳[②]也，异名同类，上下相会，经络之相贯，如环无端。邪之中人，或中于阴，或中于阳，上下左右，无有恒常，其故何也？岐伯曰：诸阳之会，皆在于面。中人也，方乘虚时及新用力，若饮食汗出，腠理开而中于邪。中于面则下阳明，中于项则下太阳，中于颊则下少阳，其中于膺[3]背两胁，亦中其经。黄帝曰：其中于阴奈何？岐伯答曰：中于阴者，常从臂胻[4]始。夫臂与胻，其阴[5]皮薄，其肉淖泽，故俱受于风，独伤其阴。

注

①邪气：指风、雨、寒、暑等外邪。
②阴之与阳：指阴经和阳经。
③膺：指胸部。
④胻（héng）：指人的小腿。
⑤阴：指手臂和小腿的内侧。

黄帝曰：此故伤其脏乎？岐伯答曰：身之中于风也，不必动脏。故邪入于阴经，则其脏气实，邪气入而不能客，故还之于府。故中阳则溜于经，中阴则溜于府。黄帝曰：邪之中人脏奈何？岐伯曰：愁忧恐惧则伤心。形寒寒饮[1]则伤肺，以其两寒[2]相感，中外皆伤，故气逆而上行。有所堕坠，恶血[3]留内，若有所大怒，气上而不下，积于胁下，则伤肝。有所击仆[4]，若醉入房[5]，汗出当风，则伤脾。有所用力举重[6]，若入房过度，汗出浴水，则伤肾。

注

①形寒寒饮：指身体受外来寒邪侵袭以及饮食过于寒凉。

②两寒：即前文所说的形寒与寒饮。

③恶血：体内之瘀血。

④仆：跌倒。

⑤入房：进行房事。

⑥举重：劳力负重。

灵枢

寿夭刚柔第六（节选）

黄帝问于伯高曰：余闻形有缓急，气有盛衰，骨有大小，肉有坚脆，皮有厚薄，其以立[①]寿夭[②]奈何？伯高答曰：形与气相任[③]则寿，不相任则夭。皮与肉相果[④]则寿，不相果则夭，血气经络胜形则寿，不胜形则夭。

黄帝曰：何谓形之缓急？伯高答曰：形充而皮肤缓[⑤]者则寿，形充而皮肤急[⑥]者则夭，形充而脉坚大者顺也，形充而脉小以弱者气衰，衰则危矣。若形充而颧不起者骨小，骨小则夭矣。形充而大肉䐃[⑦]坚而有分者肉坚，肉坚则寿矣；形充而大肉无分理不坚者肉脆，肉脆则夭矣。此天之生命[8]，所以立形定气而视寿夭者。必明乎此立形定气，而后以临病人，决死生。

注

①立：确定。
②寿夭：寿命的长短。
③任：相当，相称。
④果：通“裹”。
⑤缓：宽绰，宽松。
⑥急：紧，缩紧。
⑦䐃（jiǒng）：肌肉积聚之处。
⑧天之生命：指先天造就的生命基础，即先天禀赋。

黄帝曰：余闻寿夭，无以度之。伯高答曰：墙基卑[1]，高不及其地[2]者，不满三十而死，其有因加疾者，不及二十而死也。

黄帝曰：形气之相胜，以立寿夭奈何？伯高答曰：平人而气胜形者寿；病而形肉脱[3]，气胜形者死，形胜气者危矣。

注

①墙基卑：墙基，指面部四旁骨骼。卑，低下。

②地：指面部之肉。

③脱：肉剥皮去骨。

灵枢

本神第八（节选）

黄帝问于岐伯曰：凡刺之法，先必本于神[①]。血、脉、营、气、精神，此五脏之所藏也，至其淫泆[②]离脏则精失、魂魄飞扬、志意恍乱、智虑去身者，何因而然乎？天之罪与？人之过乎？何谓德、气、生、精、神、魂、魄、心、意、志、思、智、虑？请问其故。

岐伯答曰：天之在我者德[③]也，地之在我者气[④]也，德流气薄[⑤]而生者也。故生之来谓之精[⑥]，两精相搏谓之神，随神往来者谓之魂，并精而出入者谓之魄，所以任物[⑦]者谓之心，心有所忆谓之意[8]，意之所存谓之志[9]，因志而存变谓之思，因思而远慕谓之虑[10]，因虑而处物谓之智。

注

①神：精神意识活动。

②淫泆：放纵过度。

③德：天德即天之正常运行变化。天气为阳，表现为自然界的气候，如阳光、雨露等，是天赋予人类生存的基本条件。

④气：地气即地之正常运行变化。地气为阴，表现为大地孕育长养万物，如五谷、杂粮等，是地赋予人类生存的基本条件。

⑤德流气薄：天之阳气下降，地之阴气上升，阴阳相互搏结，生命由此而产生。薄，同“搏”。

⑥精：先天之精。

⑦任物：言心担任着分析、认识与处理事物的职能。

⑧意：意念，为心主任物之始，指心生念头而尚未决定。

⑨志：志向，为意念已定。

⑩远慕：指对事物进行多方分析，深思远虑，即有远见之谓。虑：深思远虑，计划未来，预测结果。

故智者之养生也，必顺四时而适寒暑，和喜怒而安居处，节阴阳[1]而调刚柔[2]，如是则僻邪[3]不至，长生久视[4]。

是故怵惕[5]思虑者则伤神，神伤则恐惧流淫[6]而不止。因悲哀动中者，竭绝而失生。喜乐者，神惮散[7]而不藏。愁忧者，气闭塞而不行。盛怒者，迷惑而不治。恐惧者，神荡惮[8]而不收。

注

①节阴阳：节制房事。

②刚柔：代指阴阳。

③僻（pì）邪：致病的邪气。僻，不正的意思。

④长生久视：健康长寿。视，活、生存。

⑤怵（chù）惕：惊恐之意。

⑥流淫：指滑精、二便失禁等一类的疾病。

⑦惮（dàn）散：指因过喜而致血气离散。

⑧荡惮：神气动荡恐惧。

心怵惕思虑则伤神，神伤则恐惧自失，破䐃脱肉[1]，毛悴色夭[2]，死于冬。脾愁忧而不解则伤意，意伤则悗乱[3]，四肢不举，毛悴色夭，死于春。肝悲哀动中则伤魂，魂伤则狂忘[4]不精，不精则不正，当人阴缩[5]而挛筋，两胁骨不举，毛悴色夭，死于秋。肺喜乐无极则伤魄，魄伤则狂，狂者意不存人，皮革焦[6]，毛悴色夭，死于夏。肾盛怒而不止则伤志，志伤则喜忘其前言，腰脊不可以俯仰屈伸，毛悴色夭，死于季夏[7]。恐惧而不解则伤精，精伤则骨酸痿厥，精时自下[8]。是故五脏主藏精者也，不可伤，伤则失守而阴虚，阴虚[9]则无气，无气则死矣。

注

①破䐃（jùn）脱肉：形容肌肉削减，极度消瘦的样子。䐃，肌肉丰厚之处。

②毛悴色夭：即皮毛憔悴，色泽枯暗。

③悗乱：指心胸烦乱。

④忘：通“妄”。

⑤阴缩：病证名。男女前阴器内缩之病证。

⑥皮革焦：皮毛焦枯。

⑦季夏：即长夏。

⑧精时自下：类似于前文提及滑精、二便失禁等一类疾病的表现。

⑨阴虚：此指五脏精气亏损。

是故用针者，察观病人之态，以知精神魂魄之存亡得失之意，五者以伤，针不可以治之也。

肝藏[1]血，血舍魂，肝气虚则恐，实则怒。脾藏营，营舍意，脾气虚则四肢不用，五脏不安，实则腹胀经溲[2]不利。心藏脉，脉舍神，心气虚则悲，实则笑不休。肺藏气，气舍魄，肺气虚则鼻塞不利少气，实则喘喝[3]胸盈仰息[4]。肾藏精，精舍志，肾气虚则厥[5]，实则胀[6]，五脏不安。必审五脏之病形，以知其气之虚实，谨而调之也。

注

①藏：在本文中当随文而变义，分别可理解为蓄藏、主宰、化生等意。

②经溲：别本“经”作“泾”，可从。泾溲，指小便。

③喘喝：喘促有声。

④胸盈仰息：指胸部胀满，仰面呼吸。

⑤厥：指寒厥、热厥证。

⑥胀：指水肿胀满。

灵枢

终始第九（节选）

凡刺之禁：新内勿刺，新刺勿内[①]；已醉勿刺，已刺勿醉；新怒勿刺，已刺勿怒；新劳勿刺，已刺勿劳；已饱勿刺，已刺勿饱；已饥勿刺，已刺勿饥；已渴勿刺，已刺勿渴；大惊大恐，必定其气乃刺之。乘车来者，卧而休之，如食顷[②]乃刺之。出行来者，坐而休之，如行十里顷乃刺之。凡此十二禁者，其脉乱气散，逆其营卫，经气不次，因而刺之，则阳病入于阴，阴病出为阳，则邪气复生。粗工[③]勿察，是谓伐身，形体淫泺[④]，乃消脑髓，津液不化，脱其五味，是谓失气[5]也。

注

①内：此指行房事。
②顷（qǐng）：左右，指时间。
③粗工：水平低下的医生。粗，粗劣。
④形体淫泺（luò）：指酸痛而无力。
⑤失气：精气消亡。

灵枢

经脉第十（节选）

雷公问于黄帝曰：禁脉[1]之言，凡刺之理，经脉为始，营其所行，制其度量，内次五脏，外别六府，愿尽闻其道。黄帝曰：人始生，先成精，精成而脑髓生，骨为干[2]，脉为营[3]，筋为刚[4]，肉为墙[5]，皮肤坚而毛发长，谷入于胃，脉道以通，血气乃行。雷公曰：愿卒闻经脉之始生。黄帝曰：经脉者，所以能决死生，处百病，调虚实，不可不通。

注

①禁脉：为“禁服”之误，意指《灵枢》的《禁服》篇。

②骨为干：骨骼能支撑人体，故为干。

③脉为营：脉能营运气血以灌溉周身，故为营。

④筋为刚：筋能约束骨骼，使人刚劲有力，故为刚。

⑤肉为墙：肉能保护内脏组织，如同墙垣，故为墙。

灵枢

脉度第十七（节选）

五脏常内阅[1]于上七窍[2]也。故肺气通于鼻，肺和则鼻能知臭香矣；心气通于舌，心和则舌能知五味[3]矣；肝气通于目，肝和则目能辨五色[4]矣；脾气通于口，脾和则口能知五谷[5]矣；肾气通于耳，肾和则耳能闻五音[6]矣。五脏不和，则七窍不通；六府不合，则留为痈。

注

①阅：经历之意，在此引申为相通。

②上七窍：指两目、两耳、鼻、口、舌。

③五味：指酸、苦、甘、辛、咸。

④五色：指青、赤、黄、白、黑。

⑤五谷：古代有两种说法：一种指稻、黍、稷、麦、菽；另一种指麻、黍、稷、麦、菽。

⑥五音：指宫、商、角、徵、羽。

灵枢

营卫生会第十八（节选）

黄帝问于岐伯曰：人焉受气？阴阳焉会？何气为营？何气为卫？营安从生？卫于焉会？老壮不同气，阴阳异位，愿闻其会。岐伯答曰：人受气于谷，谷入于胃，以传与肺，五脏六府，皆以受气，其清者为营，浊者为卫①，营在脉中，卫在脉外，营周不休，五十而复大会②，阴阳相贯，如环无端，卫气行于阴二十五度，行于阳二十五度，分为昼夜③，故气至阳而起，至阴而止④。故曰日中而阳陇，为重阳，夜半而阴陇为重阴，故太阴主内，太阳主外⑤，各行二十五度分为昼夜。夜半为阴陇，夜半后而为阴衰，平旦阴尽而阳受气矣。日中而阳陇，日西而阳衰，日入阳尽而阴受气矣。夜半而大会，万民皆卧，命曰合阴[⑥]，平旦阴尽而阳受气，如是无已，与天地同纪。

注

①清者为营，浊者为卫：水谷精气中清轻者为营，重浊者为卫。

②五十而复大会：营卫二气别道而行，一昼夜各行五十周次之后大会一次。

③分为昼夜：卫气一昼夜循行五十周次，其中昼行于阳二十五周次，夜行于阴二十五周次。

④气至阳而起，至阴而止：卫气行于阳则人目张而醒，行于阴则人目闭而眠。起，指寤。止，指寐。

⑤太阴主内，太阳主外：营卫之气的循行，营气始于手太阴而复合于手太阴，故太阴主内；卫气始于足太阳而复合于足太阳，故太阳主外。太阴，手太阴肺经；太阳，足太阳膀胱经。内，营气；外，卫气。

⑥合阴：夜半子时阴气最盛，营气在内，卫气也在内，二气俱行于阴而大会，故名合阴。

黄帝曰：老人之不夜瞑[1]者，何气使然？少壮之人，不昼瞑者，何气使然？岐伯答曰：壮者之气血盛，其肌肉滑，气道[2]通，营卫之行不失其常，故昼精[3]而夜瞑。老者之气血衰，其肌肉枯，气道涩，五脏之气相搏[4]，其营气衰少而卫气内伐[5]，故昼不精，夜不瞑。

注

①瞑：与“眠”同义。

②气道：营卫之气运行的道路。

③精：神清气爽，精力充沛。

④相搏：即不相调和。

⑤内伐：内扰之意。

灵枢

师传第二十九（节选）

黄帝曰：余闻先师，有所心藏，弗著于方，余愿闻而藏之，则而行之，上以治民，下以治身，使百姓无病，上下和亲，德泽下流[①]，子孙无忧，传于后世，无有终时，可得闻乎？岐伯曰：远乎哉问也。夫治民与自治，治彼与治此，治小与治大，治国与治家，未有逆而能治之也，夫惟顺而已矣。顺者，非独阴阳脉，论气之逆顺也，百姓人民皆欲顺其志也。黄帝曰：顺之奈何？岐伯曰：入国问俗，入家问讳[②]，上堂[③]问礼[④]，临病人问所便[⑤]。

注

①下流：流传后代。

②讳：指所忌讳、隐讳的事或物。

③堂：古代宫室，前为堂，后为室。

④礼：礼貌仪式。

⑤便：相宜之意，可指相宜的治疗措施等。

黄帝曰：便病人[1]奈何？岐伯曰：夫中热消瘅，则便寒；寒中之属，则便热。胃中热则消谷，令人悬心[2]善饥。脐以上皮热，肠中热，则出黄如糜[3]。脐以下皮寒，胃中寒，则腹胀；肠中寒，则肠鸣飧泄。胃中寒，肠中热，则胀而且泄；胃中热，肠中寒，则疾饥，小腹痛胀。

黄帝曰：胃欲寒饮，肠欲热饮，两者相逆，便之奈何？且夫王公大人，血食之君，骄恣从欲轻人[4]，而无能禁之，禁之则逆其志，顺之则加其病，便之奈何？治之何先？岐伯曰：人之情，莫不恶死而乐生，告之以其败，语之以其善，导之以其所便[5]，开之以其所苦[6]，虽有无道之人，恶有不听者乎？

注

①便病人：了解病人的好恶。

②悬心：胃中空虚难忍的感觉。

③黄如糜：排泄黄色如稀粥样的粪便。

④骄恣从欲轻人：骄横自大，恣意妄行，轻视别人。

⑤导之以其所便：诱导病人创造适宜治愈疾病所需的条件。导，引导、诱使。便，方便，这里指疾病恢复的条件。

⑥开之以其所苦：开导病人，使之明白违背医嘱所造成的痛苦。

黄帝曰：治之奈何？岐伯曰：春夏先治其标，后治其本；秋冬先治其本，后治其标。黄帝曰：便其相逆者[①]奈何？岐伯曰：便此者，食饮衣服，亦欲适寒温，寒无凄怆[②]，暑无出汗。食饮者，热无灼灼，寒无沧沧。寒温中适，故气将持，乃不致邪僻[③]也。

注

①便其相逆者：适于口则害于身，违其心而利于体者。

②凄怆：亦作凄沧，言寒冷甚。

③不致邪僻：谓不生病灾。致，招致；邪僻，泛指邪气。

灵枢

决气第三十

黄帝曰：余闻人有精、气、津、液、血、脉，余意以为一气耳，今乃辨为六名，余不知其所以然。岐伯曰：两神[①]相搏[②]，合而成形，常先身生，是谓精。何谓气？岐伯曰：上焦开发，宣五谷味[③]，熏肤、充身、泽毛，若雾露之溉，是谓气。何谓津？岐伯曰：腠理[④]发泄，汗出溱溱[⑤]，是谓津。何谓液？岐伯曰：谷入气满，淖泽[⑥]注于骨，骨属[⑦]屈伸，泄泽[⑧]补益脑髓，皮肤润泽，是谓液。何谓血？岐伯曰：中焦受气[⑨]，取汁变化而赤，是谓血。何谓脉？

岐伯曰：壅遏[10]营气，令无所避，是谓脉。

注

①两神：指男女两性。

②抟：交媾。

③五谷味：指水谷五味之精微。

④腠理：中医指皮下肌肉之间的空隙和皮肤、肌肉的纹理，为渗泄及气血流通灌注之处。

⑤溱溱（zhēn）：形容汗多状。

⑥淖（nào）：满而外溢。泽：作濡润解。

⑦骨属：骨与骨之连接处。

⑧泄泽：津液渗出而有润泽的作用。

⑨受气：受纳水谷之气。

⑩壅遏：约束，控制。

决气第三十

黄帝曰：六气[1]有，有余不足，气之多少，脑髓之虚实，血脉之清浊[2]，何以知之？岐伯曰：精脱[3]者，耳聋；气脱者，目不明；津脱者，腠理开，汗大泄；液脱者，骨属屈伸不利，色夭，脑髓消，胫酸，耳数鸣；血脱者，色白，夭然不泽，其脉空虚[4]，此其候也。

黄帝曰：六气者，贵贱何如？岐伯曰：六气者，各有部主[5]也，其贵贱善恶，可为常主[6]，然五谷与胃为大海⑦也。

注

①六气：指上文所说的精、气、津、液、血、脉六种精微物质。

②清浊：指血液的清稀、纯净或黏稠、混浊。

③脱：失去，即虚甚。

④其脉空虚：指脉象虚弱乏力，甚则不见搏动。

⑤各有部主：指六气各有所主之脏腑，如肾主精，肺主气，脾主津液，肝主血，心主脉。

⑥常主：固定的脏器所主。

⑦大海：此有源头之意。

灵枢

淫邪发梦第四十三

黄帝曰：愿闻淫邪泮衍[①]，奈何？岐伯曰：正邪[②]从外袭内，而未有定舍，反淫于脏，不得定处，与营卫俱行，而与魂魄飞扬[③]，使人卧不得安而喜梦；气淫于府，则有余于外，不足于内；气淫于脏，则有余于内，不足于外。

黄帝曰：有余不足，有形乎？岐伯曰：阴气盛，则梦涉大水而恐惧；阳气盛，则梦大火而燔焫[④]；阴阳俱盛，则梦相杀。上盛则梦飞，下盛则梦堕；甚饥则梦取，甚饱则梦予；肝气盛，则梦怒，肺气盛，则梦恐惧、哭泣、飞扬；

心气盛，则梦善笑恐畏；脾气盛，则梦歌乐[5]、身体重不举；肾气盛，则梦腰脊两解不属[6]。凡此十二盛者，至而写之，立已。

注

①淫邪泮（pàn）衍：淫邪，指惑乱神志的邪气。泮衍，蔓延、扩散之意。

②正邪：相对于虚邪而言，对人体的损害较小的致病邪气。

③魂魄飞扬：指五脏所舍之神，往来流动、游荡。

④燔焫（ruò）：焚烧。

⑤乐（yuè）：音乐。

⑥两解不属：腰脊不相连属。

厥气客于心，则梦见丘山烟火；客于肺，则梦飞扬，见金铁之奇物[1]；客于肝，则梦山林树木；客于脾，则梦见丘陵大泽，坏屋风雨；客于肾，则梦临渊，没[2]居水中；客于膀胱，则梦游行；客于胃，则梦饮食；客于大肠，则梦田野；客于小肠，则梦聚邑[3]冲衢[4]；客于胆，则梦斗讼自刳[5]；客于阴器，则梦接内[6]；客于项，则梦斩首；客于胫，则梦行走而不能前，及居深地窌[7]苑中；客于股肱，则梦礼节拜起；客于胞脜[8]，则梦溲便。凡此十五不足者，至而补之立已也。

注

①奇物：奇特少见的物品。

②没（mò）：沉没。

③邑：人民聚居之处，大曰都，小曰邑，泛指村落、城镇。

④衢（qú）：大路，四通八达的道路。

⑤刳（kū）：杀，剖。

⑥接内：指房事。

⑦窌（jiào）：同“窖”，即地窖。

⑧胞脜（zhí）：膀胱和直肠。

灵枢

顺气一日分为四时第四十四（节选）

黄帝曰：夫百病之所始生者，必起于燥温寒暑风雨、阴阳喜怒、饮食居处，气合而有形①，得脏而有名②，余知其然也。夫百病者，多以旦慧③、昼安④、夕加⑤、夜甚⑥，何也？岐伯曰：四时之气使然⑦。

黄帝曰：愿闻四时之气。岐伯曰：春生，夏长，秋收，冬藏，是气之常也，人亦应之，以一日分为四时，朝则为春，日中为夏，日入为秋，夜半为冬。朝则人气⑧始生，病气衰，故旦慧；日中人气长，长则胜邪，故安；夕则人气始衰，邪气始生，故加；夜半人气入藏，邪气独居于身，故甚也。

黄帝曰：有时有反者[9]何也？岐伯曰：是不应四时之气，脏独主其病[10]者，是必以脏气之所不胜时者甚，以其所胜时者起也。黄帝曰：治之奈何？岐伯曰：顺天之时，而病可与期。顺者为工，逆者为粗。

注

①气合而有形：指邪气与人体正气相搏结，有脉证征象反映于外。

②得脏而有名：谓邪气侵犯不同脏腑而有不同的病名。

③慧：精神清爽。

④安：病人自我感觉安适。

⑤加：病情加重。

⑥甚：病情更重。

⑦四时之气使然：由于天人四时阴阳消长盛衰变化的缘故。

⑧人气：指阳气。

⑨其时有反者：指病情的轻重变化有时与“旦慧、昼安、夕加、夜甚”的现象不符。

⑩脏独主其病：指病变脏气对病情的变化起着决定性的作用，而一日之内的阴阳消长对疾病的影响不明显。

灵枢

本脏第四十七（节选）

人之血气精神者，所以奉生而周于性命者也；经脉者，所以行血气而营阴阳[1]、濡筋骨，利关节者也；卫气者，所以温分肉，充皮肤，肥腠理，司开阖[2]者也；志意者，所以御精神，收魂魄，适寒温，和喜怒者也。是故血和则经脉流行，营复阴阳，筋骨劲强，关节清利矣；卫气和则分肉解利，皮肤调柔，腠理致密矣；志意和则精神专直[3]，魂魄不散，悔怒不起，五脏不受邪矣；寒温和则六府化谷，风痹不作，经脉通利，肢节得安矣，此人之常平[4]也。五脏者，所以藏精神血气魂魄者也；六府者，所以化水谷而行津液者也。此人之所以具受于天也，无愚智贤不肖，无以相倚也。然有其独尽天寿⑤，而无邪僻⑥之病，百年不衰，虽犯风雨卒寒大暑，犹有弗能害也。

注

①营阴阳：营运气血于三阴三阳之经。

②开阖：指汗孔的开合功能。

③精神专直：指思维敏达，思想集中而无妄念。专，专一。直，正直无妄。

④常平：指人体健康之正常状态，即阴平阳秘。

⑤天寿：自然之寿命。

⑥邪僻：致病邪气。

灵枢
天年第五十四

黄帝问于岐伯曰：愿闻人之始生，何气筑为基[1]，何立而为楯[2]，何失而死，何得而生？岐伯曰：以母为基，以父为楯[3]；失神[4]者死，得神者生也。

黄帝曰：何者为神？岐伯曰：血气已和，营卫已通，五脏已成，神气舍心，魂魄毕具，乃成为人。

黄帝曰：人之寿夭各不同，或夭寿，或卒死，或病久，愿闻其道。岐伯曰：五脏坚固[5]，血脉和调，肌肉解利[6]，皮肤致密，营卫之行，不失其常，呼吸微徐，气以度行[7]，六府化谷，津液布扬，各如其常，故能长久。

黄帝曰：人之寿百岁而死，何以致之？岐伯曰：使道隧以长[8]，基墙高以方[9]，通调营卫，三部三里起[10]，骨高肉满，百岁乃得终。

注

①基：基础。

②楯（shǔn）：栏杆，引申为护卫。

③以母为基，以父为楯：谓人体胚胎，源于阴阳精气结合，以母之阴血为基础，以父之阳气为外卫，阴阳交感互用而成。

④神：神气，此指生命赖以存在的生机主宰。

⑤五脏坚固：五脏发育良好，功能健全。

⑥肌肉解利：肌肉之间气血运行通利而不涩滞。

⑦气以度行：气血运行与呼吸保持正常比例。

⑧使道：此处指人中沟。隧以长：深而长。

⑨基墙高以方：指面部而言，骨骼为基，蕃蔽为墙，丰满方大。

⑩三部三里：三部即三里，此指以面部之额角、鼻头、下颌为标志的上、中、下三部分。起：高起而不平陷。

黄帝曰：其气[1]之盛衰，以至其死，可得闻乎？岐伯曰：人生十岁，五脏始定，血气已通，其气在下[2]，故好走[3]；二十岁，血气始盛肌肉方长，故好趋；三十岁，五脏大定，肌肉坚固，血脉盛满，故好步；四十岁，五脏六府十二经脉，皆大盛以平定，腠理始疎[4]，荣华颓落，发颇斑白[5]，平盛不摇[6]，故好坐；五十岁，肝气始衰，肝叶始薄，胆汁始减，目始不明；六十岁，心气始衰，苦忧悲，血气懈惰，故好卧；七十岁，脾气虚，皮肤枯；八十岁，肺气衰，魄离，故言善误；九十岁，肾气焦[7]，四脏经脉空虚；百岁，五脏皆虚，神气皆去，形骸独居而终矣。

注

①气：这里指先天精气。

②其气在下：先天精气藏于肾，自下而升，人生十岁，此气始盛，是生长发育的开端，故云“其气在下”。

③走：奔跑之意，用来表现幼儿活泼爱动的生理、心理特点。

④疎（shū）：同“疏”，疏松。

⑤发颇斑白：头发花白。斑白，俗称花白，黑白相间。

⑥平盛不摇：发育生长到了极限。平盛，极限。摇，上升貌，引申为发育之意。

⑦肾气焦：肾所藏先天精气枯竭。焦，枯竭的意思。

黄帝曰：其不能终寿而死者，何如？岐伯曰：其五脏皆不坚，使道不长，空外以张[①]，喘息暴疾[②]；又卑基墙[③]，薄脉少血[④]，其肉不石[⑤]，数中风寒，血气虚，脉不通，真邪相攻，乱而相引[⑥]，故中寿而尽也。

注

①空外以张：指鼻孔外张。空，同“孔”。

②暴疾：指喘息急促。

③卑基墙：面部消瘦，骨肉塌陷。卑，低下。

④薄脉少血：脉细血少而见面色枯萎无泽。

⑤不石：即不实，俗语虚浮、虚胖。

⑥真邪相攻，乱而相引：指正邪相争，气血紊乱，不能驱邪外出，反致引邪深入。真，指人体正气。

灵枢
五味第五十六

黄帝曰：愿闻谷气有五味，其入五脏，分别奈何？伯高曰：胃者，五脏六府之海也，水谷皆入于胃，五脏六府，皆禀气[①]于胃。五味各走其所喜[②]，谷味酸，先走肝，谷味苦，先走心，谷味甘，先走脾，谷味辛，先走肺，谷味咸，先走肾。谷气津液已行，营卫大通，乃化糟粕，以次传下。

黄帝曰：营卫之行奈何？伯高曰：谷始入于胃，其精微者，先出于胃之两焦[③]，以溉[④]五脏，别出两行，营卫之道。其大气之抟[⑤]而不行者，积于胸中，命曰气海，出于肺，循咽喉，故呼则出，吸则入。天地之精气，其大数常出三入一，故谷不入，半日则气衰，一日则气少矣。

注

①禀气：接受水谷精微之气。
②五味各走其所喜：指五味分别入于五脏的意思。
③两焦：中上焦。
④溉：灌溉、滋养之意。
⑤抟：聚集。

黄帝曰：谷之五味，可得闻乎？伯高曰：请尽言之。五谷：秔米①甘，麻②酸，大豆咸，麦苦，黄黍③辛。五果：枣甘，李酸，栗秔，杏苦，桃辛。五畜：牛甘，犬酸，猪咸，羊苦，鸡辛。五菜：葵④甘，韭酸，藿⑤咸，薤⑥苦，葱辛。

五色：黄色宜甘，青色宜酸，黑色宜咸，赤色宜苦，白色宜辛。凡此五者，各有所宜。五宜所言五色者，脾病者，宜食秔米饭，牛肉枣葵；心病者，宜食麦羊肉杏薤；肾病者，宜食大豆黄卷猪肉栗藿；肝病者，宜食麻犬肉李韭；肺病者，宜食黄黍鸡肉桃葱。

注

①秫米：即粳米。
②麻：芝麻。
③黄黍：即黍米。
④葵：即冬葵。
⑤藿：即豆叶，嫩时可食。
⑥薤：即薤白。

五禁：肝病禁辛，心病禁咸，脾病禁酸，肾病禁甘，肺病禁苦。

肝色青，宜食甘①，秫米饭、牛肉、枣、葵皆甘。心色赤，宜食酸②，犬肉、麻、李、韭皆酸。脾黄色，宜食咸③，大豆、猪肉、栗、藿皆咸。肺白色，宜食苦④，麦、羊肉、杏、薤皆苦。肾色黑，宜食辛⑤，黄黍、鸡肉、桃、葱皆辛。

注

①肝色青，宜食甘：食甘以缓肝之急。
②心色赤，宜食酸：食酸以收心气之散。

③脾色黄，宜食咸：食咸调肾以化行脾胃之气。

④肺色白，宜食苦：食苦以泄肺气之逆。

⑤肾色黑，宜食辛：食辛以润肾之燥。

灵枢
贼风第五十八

黄帝曰：夫子言贼风邪气之伤人也，令人病焉，今有其不离屏蔽，不出空穴之中[①]，卒然病者，非不离[②]贼风邪气，其故何也？岐伯曰：此皆尝有所伤于湿气，藏于血脉之中，分肉之间，久留而不去。若有所堕坠，恶血[③]在内而不去，卒然喜怒不节，饮食不适，寒温不时[④]，腠理闭而不通[⑤]。其开而遇风寒，则血气凝结，与故邪相袭[⑥]，则为寒痹。其有热则汗出，汗出则受风，虽不遇贼风邪气，必有因加而发焉。

注

①不离屏蔽，不出空穴之中：谓没有失去对邪气的防护，没有走出户外。屏蔽，即屏障，此指防御风寒侵袭的设施，如住房、围墙等。

②离：避开。

③恶血：停滞有害之血，即后世所谓瘀血。

④寒温不时：谓不能按时调节人体的寒温以适应环境的变化。

⑤腠理闭而不通：腠理开阖失常导致卫外功能障碍。

⑥与故邪相袭：故邪，即前述藏留体内不去的湿邪、恶血。相袭，相互结合而侵害人体。

黄帝曰：今夫子之所言者，皆病人之所自知也。其毋所遇邪气，又毋怵惕之所志，卒然而病者，其故何也？唯有因鬼神之事乎？岐伯曰：此亦有故邪留而未发，因而志有所恶，及有所慕，血气内乱，两气相搏。其所从来者微，视之不见，听而不闻，故似鬼神。

黄帝曰：其祝[1]而已者，其故何也？岐伯曰：先巫[2]者，因知百病之胜[3]，先知其病之所从生者，可祝而已也。

注

①祝：即祝由，古代通过祝祷、解说患病原因治疗疾病的方法。

②巫：古代中原地区履行祭、祀、医、卜、算等职责的人员。

③胜：制约的意思。

灵枢

五味论第六十三（节选）

五味入于口也，各有所走，各有所病，酸走筋，多食之，令人癃[①]；咸走血，多食之，令人渴；辛走气，多食之，令人洞心[②]；苦走骨，多食之，令人变呕；甘走肉，多食之，令人悗心[③]。

注

①癃（lóng）：小便不利。

②洞心：心气内虚不足可出现心慌、心悸。洞，空虚。

③悗心：心胸烦闷。

灵枢

百病始生第六十六（节选）

黄帝问于岐伯曰：夫百病之始生也，皆于风雨寒暑，清湿[①]喜怒，喜怒不节则伤脏，风雨则伤上，清湿则伤下。三部之气，所伤异类[②]，愿闻其会[③]。岐伯曰：三部之气各不同，或起于阴，或起于阳[④]，请言其方，喜怒不节则伤脏，脏伤则病起于阴也，清湿袭虚[⑤]，则病起于下，风雨袭虚，则病起于上，是谓三部，至于其淫泆[⑥]，不可胜数。

注

①清湿：指寒湿之邪。清，通“凊”（qing音庆），

寒也。

②三部之气，所伤异类：指伤于上部的风雨、伤于下部的清湿与伤于五脏的喜怒等邪气，所侵害人体的部位各不相同。

③会：即要领、要点。

④或起于阴，或起于阳：指发病部位有在内、在外两种。阴指内，阳指外。

⑤袭虚：指外邪乘虚侵袭人体。

⑥淫泆：指病邪在人体内蔓延扩散。淫，浸淫。泆，通“溢”。

黄帝曰：余固不能数，故问先师。愿卒闻其道，岐伯曰：风雨寒热不得虚[1]，邪不能独伤人。卒然逢疾风暴雨而不病者，盖无虚，故邪不能独伤人。此必因虚邪之风[2]，与其身形，两虚相得[3]，乃客其形。两实相逢[4]，众人肉坚，其中于虚邪也因于天时，与其身形，参以虚实，大病乃成，气有定舍，因处为名[5]，上下中外，分为三员[6]。

注

①不得虚：没有遇到正气虚的机体。

②虚邪之风：泛指各种致病的异常气候。

③两虚相得：正气虚弱之机体，又遇到虚邪之风。两虚，指正气虚弱之机体，外界异常之气候的虚邪。

④两实相逢：正气充实之机体，又遇到外界正常之气候。

⑤气有定舍，因处为名：谓邪气伤人有一定部位，疾病即根据其不同部位命名。气，此指邪气。舍，邪气伤害的部位。

⑥上下中外，分为三员：上下属外为两员，加中之一员，共三员。三员，即前述三部。

是故虚邪之中人也，始于皮肤，皮肤缓则腠理开，开则邪从毛发入，入则抵深，深则毛发立，毛发立则淅然[1]，故皮肤痛。留而不去，则传舍于络脉，在络之时，痛于肌肉，其痛之时息[2]，大经乃代[3]，留而不去，传舍于经，在经之时，洒淅喜惊。留而不去，传舍于输[4]，在输之时，六经不通四肢，则肢节痛，腰脊乃强，留而不去，传舍于伏冲之脉，在伏冲之时体重身痛，留而不去，传舍于肠胃，在肠胃之时，贲响腹胀，多寒则肠鸣飧泄，食不化，多热则溏出麋[5]。留而不去，传舍于肠胃之外，募原之间，留着于脉，稽留而不去，息而成积[6]，或着孙脉，或着络脉，或着经脉，或着输脉，或着于伏冲之脉，或着于膂筋，或着于肠胃之募原，上连于缓筋[7]，邪气淫泆，不可胜论。

注

①淅然：形容怕冷的样子。

②息：停止的意思。

③大经乃代：络脉的邪气传入经脉，是经脉替代络脉受邪。

④输：指足太阳经。

⑤溏出麋：溏，大便溏薄；麋，即糜，糜烂。相当于热性泻痢的病证。

⑥息而成积：指虚邪滞留于脉，逐渐长成积块肿物。

⑦缓筋：泛指足阳明之筋。

黄帝内经